Criando Bebês

Para pais e

DR. HOWARD CHILTON

Editora FUNDAMENTO

2015, Editora Fundamento Educacional Ltda.
Reimpresso em 2018.

Editor e edição de texto: Editora Fundamento
Editoração eletronica: Sage - Serviço de Apoio Administrativo Ltda. (Leila Terezinha de Fátima Eleutério); TRC Comunic Design Ltda. (Marcio Luis Coraiola); Bella Ventura Eventos Ltda. (Lorena do Rocio Mariotto)
CTP e impressão: SVP - Gráfica Pallotti
Tradução: Edite Siegert Sciulli
Arte da capa: Zuleika Yamashita

Produzido originalmente por Finch Publishing Sydney
Copyright © 2003 Howard Chilton

Todos os direitos reservados. Nenhuma parte deste livro pode ser arquivada, reproduzida ou transmitida de qualquer forma ou por qualquer meio, seja eletrônico ou mecânico, incluindo fotocópia e gravação de backup, sem permissão escrita do proprietário dos direitos.

Dados Internacionais de Catalogação na Publicação (CIP)
(Câmara Brasileira do Livro, SP, Brasil)

Chilton, Howard
 Criando bebês / Howard Chilton ; [versão brasileira da editora] – 3. ed. – São Paulo, SP : Editora Fundamento Educacional Ltda., 2015.

 Título original : Baby on Board

 1. Pais e bebês I. Título.

03-5210   CDD-649.122

Índices para catálogo sistemático:
1. Bebês e pais : Vida familiar 649.122
2. Pais e bebês : Vida familiar 649.122

Fundação Biblioteca Nacional

Depósito legal na Biblioteca Nacional, conforme Decreto n.º 1.825, de dezembro de 1907.
Todos os direitos reservados no Brasil por Editora Fundamento Educacional Ltda.

Impresso no Brasil

Telefone: (41) 3015 9700
E-mail: info@editorafundamento.com.br
Site: www.editorafundamento.com.br

Este livro foi impresso em papel Lux Cream 70 g/m² e a capa em papel-cartão 250 g/m².

Sumário

Intodução — 4

Parte I – Informações essenciais para começar
Primeiro dia: um rápido "guia" — 5
Mitos e Expectativas — 9

Parte II – O que acontece no hospital
A experiência do nascimento de seu bebê — 17
Compreendendo o corpo de seu novo bebê — 30
Os primeiros dias — 48
Questões médicas importantes — 67
Amamentação — 75

Parte III – A evolução e os bebês
Como a evolução modelou nossos bebês — 97
Como os bebês controlam os pais — 114
Dormindo com o bebê: mitos e verdades — 126

Parte IV – O que acontece em casa
Acomodando-se em casa — 135
Questões médicas tardias — 146
Cólica e o bebê que chora — 163
Imunização — 177
Os meses seguintes: como os bebês
e as suas necessidades se desenvolvem — 180

Epílogo: zen e a arte de ser pai — 198

Contatos para mais informações — 199

Introdução

Nas primeiras semanas, os novos pais têm dois grandes problemas: falta de sono e de conselhos úteis.

O primeiro faz parte do jogo; o segundo é que é duro. Alguma coisa nos bebês traz à tona o lado prestativo de todos. Velhinhos param as jovens mamães no *shopping* para dar conselhos sobre amamentação. E nada é capaz de parar as avós...

Tendo sido diretor do berçário de uma grande maternidade em Sydney por mais de vinte anos, eu próprio sou muito bom em dar conselhos. Mas descobri um jeito melhor. Ao dar aos pais um resumo básico de como os bebês foram desenhados, explicar as origens e a biologia básica dos bebês e o funcionamento da sociedade na qual eles vão entrar, capacitamos os pais a decidirem como vão lidar com os seus bebês.

Os novos pais precisam de espaço e autonomia para que possam ter controle sobre a situação, mas também precisam de informação, para que possam aproveitar a paternidade e não se preocupar desnecessariamente.

Todos nós somos diferentes. Todos lidamos com situações nas nossas vidas de maneiras diferentes, em consequência da nossa condição e das nossas circunstâncias. Quando nos tornamos pais, carregamos crenças que recolhemos durante a nossa infância, e tais crenças influenciam sutilmente as nossas atitudes e ações. Por exemplo, algumas mães dormem com seus bebês; outras acham que isso não será bom.

Porém, ter uma compreensão básica de como a *persona* do bebê será formada e de como o pequeno recém-chegado funciona pode ajudar os novos pais a encontrarem a melhor maneira de cuidar do bebê, sem recorrerem a intermináveis conselhos de amigos e especialistas.

Howard Chilton
Novembro de 2002

Parte I - Informações essenciais para começar

Capítulo 1

Primeiro dia: um rápido "guia"
(Quem tem tempo para ler mais?)

Aqui estão as informações que você pode precisar no dia em que tiver o seu bebê. Você estará cansada e excitada, com muitas visitas, e certamente sem tempo para ler. Se você conseguir ler estas poucas páginas, poderá deixar as outras para mais tarde.

➡ **Muitos bebês têm bastante muco nas primeiras 24 horas, alguns podem até ficar um pouco azulados quando a secreção gruda na garganta.**
Não se preocupe, os bebês são muito bons em expelir fluidos das vias aéreas. Eles ficam muito bem de barriga para cima e não irão engasgar. Os bebês, como direi muitas vezes neste livro, são muito bem projetados para o nascimento e para o período seguinte.

➡ **Os bebês desenvolvem manchas vermelhas na pele nos primeiros dias. Parecem picadas de mosquito. Elas aparecem mais nas áreas que ficam em contato com a fralda ou com as roupas.**
Essa erupção é chamada de *erythema toxicum* e é uma resposta da pele ao contato, especialmente com tecidos, como o algodão. É uma

situação inofensiva, não irritante e irá desaparecer sem nenhum tratamento. Isso não significa que o seu bebê tem alergia.

- **O leite materno desce em dois dias e meio. Antes disso, os bebês ou se alimentam constantemente, ou dormem por longos períodos.**
Nos primeiros dois dias, os seus seios só produzem um pouco de colostro. Portanto, alguns bebês acham que não vale muito a pena acordar. Deixe-o fazer o que quiser. O leite descerá de qualquer jeito. O seu trabalho é proteger os mamilos para não serem feridos pela boquinha do seu bebê.

- **Peça para alguém experiente ajudá-la a ajustar o bebê no seio.**
Como os outros primatas, os nossos bebês não nascem sabendo a técnica de amamentação: eles precisam aprender a sugar o leite corretamente. Enquanto não aprendem, eles podem machucar o mamilo da mãe.

- **Quando você sentir que os seus seios estão mudando e enchendo, significa que, em doze horas, o leite descerá. Então o seu bebê começará a se alimentar frequente e vorazmente; ele pode parecer insaciável (o "frenesi da alimentação"). Ele vai pegar e soltar o seio periodicamente, por 24 horas. Deixe que ele se alimente.**
Apesar da maneira como se comporta, ele não tem dor de barriga, nem gases. Ele só quer se alimentar e fazer com que o seu leite flua. Deixe.

- **Os bebês são "animais marinhos" no útero e estão cheios de água logo que nascem. Eles "secam" nos primeiros dias e podem perder cerca de 10% do peso que tinham ao nascer.**
É por isso que demora alguns dias para o leite descer. O leite de outros animais desce junto com o parto, mas os seres humanos

precisam desse tempo para perder líquido. Não se preocupe com a perda de peso. É normal e é somente água.

◆ **Não existe possibilidade de superalimentar o bebê.**
O seu bebê só está tentando induzir um fluxo suficiente de leite. Bebês que comem demais, vomitam. É normal.

◆ **Colo nunca é demais.**
O seu bebê acabou de sair do calor e da segurança do seu útero. Ele se pergunta onde está. Ele não consegue mais ouvir o som familiar da batida do seu coração, que preenchia a vida dele quando estava dentro de você. Quando ele ficar irritado, pegue-o no colo, segure-o contra o seu peito e coloque o ouvido dele contra as batidas do seu coração. Ele irá se acalmar.

◆ **Não dá para mimar o seu bebê nessa idade.**
O contato com a mãe nunca será demais ou muito íntimo. Atenção nunca é demais. Eles não conseguirão aprender maus hábitos, por alguns meses. Desconsidere todos os conselhos contrários.

◆ **Quando o leite desce, o bebê pode recomeçar a fungar e o muco pode voltar. O seu bebê não está resfriado.**
Quando o seu leite desce, o volume aumenta muito. O leite pode até entrar no nariz do bebê. Para proteger sua delicada mucosa, que é o revestimento dessa região, do leite (ou até mesmo de ácido gástrico, caso ele vomite), as paredes produzem muco. Isso pode durar semanas e, depois que você for para casa, pode piorar à noite.

◆ **Todos os bebês vomitam. Entretanto, eles não devem vomitar bile.**
Regurgitação é normal no bebê. Não significa que ele irá sofrer de refluxo ou que não está bem. Se ele vomitar bile (vômito verde brilhoso), pode precisar de cuidados: chame a enfermeira.

► Não é sangue na urina.

Muitos bebês soltam cristais rosados de "ureia" na urina, nos primeiros dias. A mancha vermelha na fralda não é sangue e é normal. Vai desaparecer quando o bebê receber mais líquidos depois que o leite descer.

► NUNCA desista de amamentar às 2 da manhã!

As coisas geralmente parecem terríveis no meio da noite, mas a coisa não parece tão ruim à luz do dia. À noite, quando está cansada, irritada e com dor, e o seu bebê está chorando sem parar, você pode desejar que nem exista a manhã seguinte.
Tome decisões de dia, quando as coisas se acalmarem. Assim, você terá mais chances de tomar uma decisão correta!

► Os bebês precisam dormir muito para crescer.

Isso é um mito. Eles irão crescer de qualquer maneira. Se não fosse assim, o mundo estaria cheio de anões!

Capítulo 2

Mitos e Expectativas

Se você acha que ficou confusa com todos os conselhos que recebeu durante a gravidez, espere até ter o bebê!

O mito das habilidades maternas

Você sabia que usar sutiã preto pode manchar o seu leite? Que o tratamento para pele seca nas bochechas do bebê é a aplicação de uma fralda úmida? Ou que um bom método para acabar com os gases do seu bebê é colocá-lo virado de barriga para baixo, em cima de um rolo de macarrão, e rolá-lo, ou talvez massagear a barriguinha dele com azeite morno, no sentido horário?

Eu também não sabia, mas esses são alguns dos conselhos dados por pessoas próximas a mães muito confusas.

Uma crença bem comum é a de que bebês que não dormem, não crescem. Você pode imaginar como ela relaxa os pais de um bebê agitado.

O que será que leva as pessoas a soterrarem pais novos e vulneráveis com conselhos obviamente errados, inúteis e geralmente divergentes?

Duas razões me surgem à mente:

1. Culpa do bebê

Os bebês são incrivelmente atraentes. Não só os bebês humanos, mas os de qualquer espécie são mais atraentes que a versão adulta. Temos que admitir, até mesmo os filhotes de crocodilos são fofos, de uma maneira fria e réptil. Parece que o nosso cérebro foi programado para achar atraente a forma e a aparência do rosto do bebê: ele desperta o nosso desejo de cuidar e alimentar. Faz surgir em nós uma alegria de ajudar e de nos envolvermos.

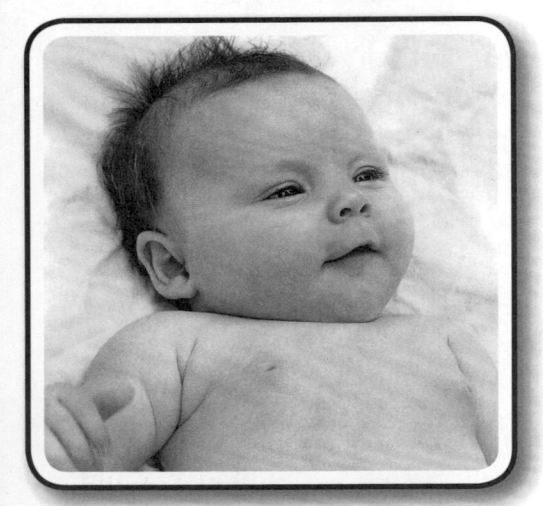

Ser atraente é, portanto, um poderoso fator de sobrevivência para o bebê. Era ainda mais importante no passado, quando o parto não era seguro para a mãe. Com muita frequência, antes da obstetrícia moderna, a mãe não sobrevivia ao processo, e o bebê precisava achar alguém que o levasse para casa e cuidasse dele.

MAQUIAGEM E BEBÊS

Há quem diga que os cosméticos e a maquiagem das mulheres foram desenvolvidos para simular as feições infantis no rosto adulto. Os olhos ficam maiores, os lábios, mais rosados, o nariz, menos proeminente e as feições e a pele, mais suaves. Instintivamente, isso é considerado mais atraente.

2. Funcionou para mim, portanto a minha experiência é válida para você

Recentemente, eu estava cuidando de um bebê cuja mãe é uma advogada de sucesso, com uma mente dura e aguçada. Ela decidiu que iria cumprir sua obrigação e amamentar por seis semanas, antes de voltar ao mundo real. O tempo passou. Aos seis meses, ela achou que o bebê precisava um pouco mais do peito. Com um ano, ela achava muito difícil considerar voltar ao trabalho. A essa altura, para usar as palavras dela, acreditava que "o bebê tinha sido a sua grande conquista". Se uma mulher com aquele intelecto pensa assim, não é muito surpreendente que a maioria das mulheres tenha o grande desejo de partilhar a sua sabedoria maternal duramente conquistada com os novos membros da irmandade.

Entretanto, o que as mães esquecem é que os bebês humanos são tão difíceis e adaptáveis que existem 50.000 maneiras de fazer a coisa certa, portanto não é de se espantar que todos esses conselhos entrem em conflito. O outro problema é que cada um desses espectadores prestativos realiza um investimento pessoal para que você resolva as coisas da maneira deles – isso faz com que se sintam bem e envolvidos com o seu bebê.

Agora que você já foi alertada, pode lidar com a situação. Sorria e agradeça. Depois, ignore o conselho.

Lembre-se, os bebês são resistentes como botas velhas e é difícil que você faça alguma coisa muito errada, desde que os ame. Então, descubra uma pessoa em quem você confia – e que saiba do que está falando – e ouça apenas essa pessoa. Além disso, confie nos seus instintos.

Para cuidar de um bebê, você precisa de bom senso e da técnica de tentativa e erro. Ah, e tente dormir o suficiente.

> Mantive os meus braços para baixo o máximo possível durante a gravidez e fiz com que meu marido abaixasse as prateleiras da cozinha, com medo de estrangular o bebê com o cordão umbilical. Um colega de

> trabalho, cuja esposa também estava grávida, havia me alertado sobre isso. Alguma pessoa bem-intencionada havia avisado a esposa do meu colega desse "perigo" no começo da sua gravidez e, sendo mães de primeira viagem, nós duas levamos isso ao pé da letra.

Expectativas

Não estabeleça padrões muito altos. Uma vez, tive uma "celebridade" como paciente. O bebê dela teve um pequeno problema no parto, por inalar um pouco de mecônio (fezes do feto) do líquido amniótico. Ele ficou ofegante e precisou de um pouco de oxigênio por algumas horas. Ficou na enfermaria de cuidados especiais por três dias e depois se juntou à mãe, na ala de pós-natal. As coisas também não foram tranquilas por lá. Houve dificuldades de alimentação, olhos grudentos, fototerapia para icterícia, uma mãe deprimida – que trabalho! No final, tudo se resolveu, e a mãe e o bebê foram para casa, em boa forma.

Imagine a minha cara quando, alguns meses depois, lendo uma revista feminina de grande circulação, vi a história da experiência do parto dessa mulher. Ela era a própria Mãe Natureza, desde a preparação para o parto ao gentil acontecimento, desde a suave amamentação até o bebê em casa, calmo e satisfeito. Tudo foi fácil, natural e pintado de rosa.

Que oportunidade desperdiçada! Se ao menos ela tivesse dito a todas as leitoras como **realmente** foi! Teria sido muito mais útil para os outros. Se ao menos ela tivesse contado tanto da agonia como do êxtase, como foi na realidade, e não uma fantasia idealizada que, sabe-se lá por quê, todos nós achamos que é o normal.

Portanto, não é de se admirar que algumas mães vão da gravidez até o parto com as expectativas um pouco altas demais. Elas esperam um parto rápido e sem dor, e um bebê lindo, perfeito, que reage bem e mama sem dificuldades. Mas isso acontece só ocasionalmente – e se acontecer, você é muito sortuda.

É uma pena, mas geralmente as coisas não são tão pitorescas. As contrações são um pouco mais dolorosas do que o treinamento pré-natal leva você a pensar, embora algumas mulheres tenham sorte e seja mais fácil para elas do que para outras. Não só a dor varia de mulher para mulher, mas também o poder real das contrações. Não permita que alguém diga quanta dor você deve suportar. Não existe dor mais fácil de suportar do que a de outra pessoa! Sentir-se culpada por precisar de anestesia é muito comum nas maternidades e sentir-se assim é completamente desnecessário.

O parto não deve ser mais doloroso do que o que você consegue aguentar e o seu bebê só irá se beneficiar se você estiver confortável o suficiente para relaxar e aproveitar a experiência.

Alguns bebês decidem que o parto é difícil demais e insistem em nascer por cesariana. Na verdade, isso representa 20% dos nascimentos em algumas populações urbanas. Você deve entender, com antecedência, que a cesariana pode ser necessária para você e para o seu bebê.

Muitos bebês preferem passar os primeiros dias dormindo, e são relutantes em se alimentar. Assim, o seu bebê pode virtualmente ignorar você, apesar de todo o trabalho que você teve para trazê-lo ao mundo. Não leve isso para o lado pessoal. Quando o seu leite descer, você vai se arrepender de ter pensado que ele era calmo demais!

Aceite simplesmente que o parto e o que vem depois podem não ser exatamente como você esperava e não estabeleça padrões muito altos para você e para o seu bebê.

> Por algum tempo, logo depois que tive a minha filha, eu ficava com um pouco de inveja toda vez que via uma grávida no mercado. Eu lamentava por não ter mais a sensação do bebê na minha barriga, tão perto e como parte de mim!

Ligação e união

Nos últimos anos, muito tem sido dito e escrito sobre como nós nos ligamos e nos unimos aos nossos bebês. Há muita informação disponível sobre os fatores que determinam a facilidade ou a dificuldade com a qual nos abrimos para o tipo de amor incondicional que o bebê exige de nós.

Nos animais menos sofisticados que os seres humanos, a necessidade que a mãe sente de cuidar dos seus recém-nascidos é geralmente desencadeada por um mecanismo simples. Se a mãe lambe imediatamente o seu bebê-ovelha ou bebê-rato, logo no momento do parto, e ele continua com ela por mais alguns dias, ela forma com ele um laço inquebrantável, que é mais uma marca do que uma ligação. Se esse mecanismo não for desencadeado, o relacionamento não se estabelece, e o bebê pode nunca se recuperar disso.

Nos seres humanos, o sistema é muito mais complicado, entrando em cena mecanismos de reforço, se a situação pós-natal não for a ideal.

Cuidadosos estudos científicos mostraram que os seres humanos têm muita flexibilidade e muita habilidade para lidar com situações adversas no nascimento e, mesmo, depois. Entretanto, provavelmente será mais fácil para a mãe se apaixonar pelo bebê e se sentir confiante em relação às necessidades dele, depois que for para casa, se todas as seguintes condições – algumas das quais as mães podem mudar ou planejar elas mesmas – existirem:

- a mãe teve uma infância feliz e estável;
- ela tem um parceiro que a apoia;

- o bebê é bem-vindo;
- ela estava consciente durante o parto, e o nascimento alcançou as suas expectativas (e não foi muito doloroso);
- ela amamentou cedo o bebê;
- o bebê ficou no quarto com ela durante todo o pós-natal.

A longo prazo, não faz muita diferença para a ligação da mãe com seu filho se algum dos fatores não estiver presente. Mas, nos primeiros dias, pode significar que ela se sinta menos à vontade com o bebê. A reação instintiva de cuidar do bebê pode chegar com um pouco menos de facilidade, e o processo pode ser um pouco mais longo.

> *Certos fatores fazem você se apaixonar pelo seu bebê mais facilmente, mas isso acontecerá de qualquer jeito.*

Para enriquecer a experiência do parto e promover circunstâncias que encorajassem as mães a aceitar os bebês com mais facilidade, a prática da obstetrícia, liderada pelo Dr. Leboyer e depois por outros, transferiu para a sala de parto uma atmosfera tranquila e não clínica, cerca de 30 anos atrás. Isso revolucionou a técnica de trazer bebês ao mundo, e muitas mães perceberam que era mais fácil sentirem-se unidas aos seus filhos com o auxílio das novas práticas. Entretanto, a flexibilidade humana é tão grande que é difícil perceber a diferença, com o passar do tempo. Já foi demonstrado por estudos meticulosamente controlados que, depois de um ano, não há diferença – tanto nos bebês como nas mães – entre os partos Leboyer e os de rotina.

Assim, fatores que aumentam a ligação devem ser encorajados, porque eles facilitam a tarefa de amar o seu bebê. Mas, se você não tiver acesso a nenhuma dessas técnicas, se você tiver que tomar anestesia geral para a cesariana, ou se o seu bebê ficar 24 horas na incubadora, por exemplo, não se preocupe. A sua ligação será forte do mesmo jeito, e "ligação" é a palavra certa. Vocês estão presos para a vida toda.

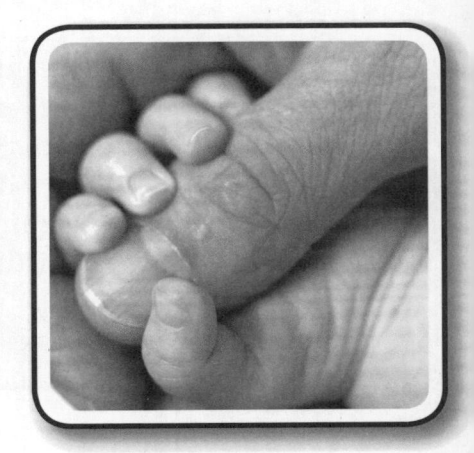

Demora um certo tempo para se apaixonar pelo seu bebê

Essa mensagem estava em uma faixa na enfermaria do hospital do famoso pediatra inglês, Sir Hugh Jolly. Ele percebeu como muitas mães ficavam aflitas com o fato de, cinco dias após o parto, o bebê ainda ser "só um bebê". Sem estrelinhas cor-de-rosa, sem corações arrebatados, apenas uma bolinha – e bem barulhenta. Se você se sente assim em relação ao seu bebê, tenha certeza de que muitas outras mães sentem o mesmo; e elas também odeiam admitir que se sentem assim.

Uma pesquisa mostrou que mais de 30% das mães ainda se sentem indiferentes aos seus bebês depois de vários dias; algumas mães demoram mais de um mês para se sentirem à vontade com seus bebês. Todos nós somos diferentes. Todos nós temos maneiras diferentes e tempos diferentes de lidar com mudanças e com pessoas novas nas nossas vidas. Espere pelo menos uns dois meses, antes de começar a se preocupar. Então, se você não conseguir suportá-lo porque ele parece uma batata, talvez seja melhor conversar sobre isso com seu médico, que irá lhe indicar alguém que possa ajudá-la. Se você suspeitar que está deprimida ou que não deixa seu bebê se aproximar por esta razão, procure ajuda imediatamente.

> Meus gêmeos, um casal, nasceram com 36 semanas e foram mandados direto para a enfermaria, depois que os abracei, rapidamente. Naquela época (1976), não era permitido que nós tivéssemos qualquer tipo de contato com eles durante esse período: nós os víamos através de janelas de vidro. Quando comecei a amamentar, minha filha tinha olhos grudentos, e isso durou as duas primeiras semanas. Eles estavam inchados e fechados, e eu não podia olhar nos olhos dela. Com meu filho foi diferente: ele e eu nos apaixonamos imediatamente. Mas com relação a ela, tive que me esforçar. Eu tenho certeza de que se não estivesse amamentando, seria ela o bebê que eu deixaria outros membros da família alimentarem. Com certeza demorou mais para me apaixonar por ela, mas aconteceu.

Parte II - O que acontece no hospital

Capítulo 3

A experiência do nascimento de seu bebê

Todos os meses de espera finalmente chegaram ao fim. Você assistiu às aulas do pré-natal, pintou a mobília, comprou as roupinhas do bebê e fez planos intermináveis. Você sonhou com o nascimento de seu bebê e, sem dúvida, perguntou-se se tudo iria sair bem; e, então, após o que parece ser uma eternidade, o dia finalmente chega.

Na sala de parto

Assim que nasce, o bebê é examinado para averiguar a existência de qualquer dificuldade que ele possa ter devido à mudança da vida dependente, dentro do útero para outra, independente, no mundo exterior. Esse exame também poderá encontrar anormalidades congênitas importantes que exijam cuidados ou tratamento imediato. Após o exame, o médico ou a parteira, pode então garantir aos aterrorizados pais que é hora de deixarem de se preocupar. É nesse momento que se verifica o índice Apgar. Cinco sinais físicos são classificados e recebem nota 1 ou 2 (ou seja, uma soma total de pontos igual a 10), a fim de avaliar a adaptação do bebê à vida fora do útero e constatar se ele foi ou não afetado pelo parto. O bebê é avaliado um minuto após o nascimento e, uma vez mais, aos cinco minutos.

ÍNDICE APGAR

Realizado um minuto e cinco minutos após o parto

Sinais físicos	Classificação 0	Classificação 1	Classificação 2
Frequência cardíaca	Ausente	Inferior a 100	Superior a 100
Esforço respiratório	Ausente	Lento e irregular	Satisfatório e regular
Tônus muscular	Flácido	Alguma flexão	Movimento ativo nos membros
Cor	Azulada	Corpo rosado e extremidades azuis	Inteiramente rosado
Reflexos	Nenhum	Careta	Tosse ou espirro em resposta ao cateter nasal

O RECÉM-NASCIDO

Às vezes, recém-nascidos preocupam os pais com sua estranha aparência. A maioria dessas características curiosas é absolutamente normal e irá desaparecer cedo ou tarde:

- olhos inchados
- moleira latejante
- genitais aumentados
- erupção de manchas brancas no rosto
- mudanças na cor da pele
- uma camada de secreção gordurosa e branca
- fina penugem na parte inferior das costas ou ombros (chamada de lanugem)
- cabeça disforme (geralmente devido à compressão no canal de parto)
- inchaço ou equimoses na cabeça como resultado do parto
- marcas de instrumentos (se houve um parto a fórceps)
- pés voltados para dentro
- pernas em arco
- queixo pequeno, um tanto voltado para trás
- mãos e pés azulados
- mamilos inchados
- unhas dos dedos dos pés encravadas
- grumos com consistência de borracha sob a pele dos malares e do queixo
- marcas vermelhas acima das pálpebras, nariz e nuca
- orelhas moles e malformadas
- nariz achatado
- estrabismo

Bebês recém-nascidos podem ter uma aparência muito estranha.

Fiquei muito aborrecida quando, logo após o nascimento, todos os familiares desceram para o quarto. Eles estavam abarrotando o aposento, dividindo o bebê em pedaços, "tem o nariz do vovô", "os olhos são da titia", mesmo antes que eu e meu marido tivéssemos a chance de dar uma olhada nele. Fiquei extremamente zangada com a insensibilidade deles, quase fiquei maluca.

Respiração

No útero, o feto flutua em seu oceano de líquido amniótico, recebe oxigênio e alimento da circulação sanguínea da mãe por meio da placenta. A circulação dele contorna os pulmões através de dois canais, um dentro do coração (chamado de forame oval), e o outro, fora dele (chamado de *ductus arteriosus* ou canal arterial). Seus pulmões estão cheios de líquido e, no útero, não são usados para absorver oxigênio.

A primeira respiração

No parto, muitas mudanças têm que ser feitas: seu bebê precisa se adaptar à vida independente em local seco. Primeiro, ele precisa se livrar de cerca de meia xícara (125 ml) de líquido dos pulmões, o que ele costuma fazer rapidamente. Um terço é impulsionado para a boca quando o peito é comprimido no canal de parto (em um parto vaginal) e o resto é absorvido pela circulação após a primeira respiração. Em um parto cesáreo, a circulação dele precisa absorver todo o líquido. Ao mesmo tempo, devido a estímulos combinados de luz, ar frio no rosto, diferentes níveis de ruídos e um aumento do oxigênio no sangue provocado pela primeira respiração, sua circulação passa por uma mudança radical. Com a primeira respiração, os canais que circundam os pulmões se contraem e se fecham, e os vasos sanguíneos dos pulmões se abrem. Isso obriga o sangue a passar pelos pulmões em cada movimento circulatório, quando absorve o oxigênio do ar que está à espera nos pulmões vindo da respiração; esse oxigênio é então levado ao corpo. Normalmente, é um processo rápido e simples, e o bebê não requer ajuda.

Começo lento

Alguns bebês assustam os pais ao demorar para respirar após o nascimento. Esses bebês precisam de um pouco de ajuda: uma sucção leve e delicada da boca e garganta geralmente remove o muco, sangue ou líquido dos pulmões, às vezes proporcionando um estímulo extra ao esforço para respirar. Se isso não for suficiente, os pulmões podem ser inflados com o uso de uma máscara facial de borracha e uma bolsa de ventilação (tente não entrar em pânico quando disserem que colocaram seu bebê na "bolsa"). A maioria dos bebês que requer ajuda será estimulada pela ação de inflar da máscara para que continue a respirar por conta própria. Vez ou outra, principalmente se os bebês estiverem doentes ou se seus pulmões forem imaturos, é necessário proceder a outras medidas de ressuscitação; talvez seja preciso introduzir um tubo do tamanho de um canudo de refrigerante na traqueia do bebê (entubação) e inflar os pulmões diretamente com a bolsa de ventilação.

NÃO ENTRE EM PÂNICO

É importante lembrar o quanto os bebês são bem projetados para o parto e quanto tempo eles podem ficar sem oxigênio antes que haja algum dano permanente: um bebê precisa ficar totalmente sem oxigênio por pelo menos 20 minutos antes que o cérebro corra risco de dano permanente. Caso a iniciativa de seu bebê para respirar seja debilitada pela falta de oxigênio, ele receberá ajuda para entrar em funcionamento antes que corra qualquer perigo. Se a capacidade de o cérebro de seu bebê resistir à falta de oxigênio tiver sido estendida além da capacidade de compensação, o pediatra irá detectar o fato em um prazo de 12-24 horas após o parto. Se isso ocorreu, seu bebê irá piorar progressivamente nesse período antes que comece a recuperação; eles não se recuperam de imediato. Se o bebê permanecer bem durante esse tempo, significa que ele lidou bem com a situação.

Síndrome do pulmão úmido

Já mencionamos que o bebê tem cerca de 125 ml de líquido nos pulmões quando se encontra no útero. Alguns bebês não são muito eficientes para remover toda essa água dos pulmões após o parto; eles têm menos tecido pulmonar, de modo que cada respiração é menos eficiente. Esses bebês precisam respirar mais depressa a fim de inspirar e expirar a quantidade adequada de ar dos pulmões por minuto. Sua frequência respiratória, em vez de ser lenta e regular e ocorrer 40 vezes por minuto, pode ser mais rápida, chegando a 60 ou 70 vezes por minuto.

Inalação de líquido amniótico

Outra razão possível para a aceleração da respiração após o nascimento é a inalação de líquido amniótico antes do parto. O resultado é o mesmo. No jargão médico, isso se chama "taquipneia transitória" ou "pulmão úmido" e, provavelmente, é o motivo para que bebês saudáveis sejam internados na unidade de tratamento intensivo do berçário após o nascimento. No berçário, o bebê é atendido, observado e, ocasionalmente, é submetido a oxigenoterapia; geralmente, ele consegue eliminar o líquido dos pulmões sem auxílio em 24 horas e pode, então, voltar para a companhia da mãe.

Infecções

Infelizmente, há uma terceira razão para que bebês respirem mais rápido após o parto: eles são vulneráveis a infecções e sempre há a possibilidade de que eles tenham contraído uma infecção pulmonar por causa dos micróbios existentes no canal vaginal durante o nascimento. Felizmente, esse problema não é comum, mas é impossível saber de imediato quais são os poucos bebês infectados. Se houver qualquer chance de que o bebê tenha contraído uma infecção, o médico enviará uma amostra de sangue ao laboratório e mandará realizar uma cultura. Os pais saberão o resultado dentro de 48 horas; enquanto isso, o bebê será tratado com antibióticos. Não há dúvidas de que essa é a forma certa de abordar o problema; contudo, isso significa que muitos bebês não infectados recebem antibióticos por via intravenosa durante 48 horas, até os resultados da cultura de sangue serem conhecidos. Os médicos não estão tão preocupados com os antibióticos em si (eles são comumente usados em bebês, não causam problemas e não afetam sua imunização); eles estão mais preocupados com a ansiedade dos pais e do incômodo provocado pelo gotejamento intravenoso. Se o resultado das culturas for negativo, a administração de antibióticos pode ser interrompida de imediato com segurança; se forem positivas, o bebê precisará tomar uma série completa da medicação por uma semana ou mais.

Manchas de mecônio

Há um grupo de bebês que recebe atenção especial durante o parto. Em mais de 10% dos partos, o líquido amniótico apresenta manchas de mecônio (fezes fetais); isso pode ser visto antes que o bebê apareça. O mecônio é uma substância espessa e pegajosa e é inofensiva, contanto que não atinja os pulmões do bebê. Quando isso ocorre, provoca uma irritação no revestimento das passagens de ar e geralmente impede seu bom funcionamento, podendo provocar sofrimento respiratório (falta de ar), pneumonia e outros problemas pulmonares. Consequentemente, quando a cabeça do bebê surge, sua garganta e seu nariz são aspirados, a fim de remover qualquer resto de mecônio antes que ele tenha a chance de respirar, evitando que ele inale a substância. Se surgirem dificuldades na realização desse procedimento, o bebê poderá ser entubado, para garantir que o mecônio não atinja as vias respiratórias. Essa medida faz parte de uma medicina preventiva eficiente e não causa danos.

INFECÇÕES IMPORTANTES DURANTE O PARTO

Há duas infecções potencialmente graves que podem estar presentes no momento do parto e que valem a pena ser discutidas em detalhes: a provocada por *streptococus* beta-hemolítico do grupo B e a causada pelo vírus do herpes.

Streptococus beta

O primeiro micróbio, conhecido como *streptococus* beta ou GBS, vive no canal vaginal de 5-30% das mulheres (essa percentagem varia de uma área a outra) e geralmente não causa problemas. Contudo, ele pode ser passado ao bebê durante o nascimento e um entre cem recém-nascidos pode ficar gravemente doente. É possível que desenvolva pneumonia, septicemia e choque, e alguns podem morrer: há pouco que a medicina neonatal pode fazer por eles. Naturalmente, é possível que a doença ocorra com menor gravidade, possibilitando que o uso de antibióticos e um tratamento intensivo recuperem esses bebês. A maioria dos obstetras verifica, hoje, a existência desse organismo no último trimestre da gravidez, realizando uma cultura com material vaginal. Se o organismo for encontrado, poderá ser eliminado ministrando à mãe uma série de amoxicilina ou eritromicina, se ela for alérgica à penicilina; entretanto, o problema pode retornar em algumas semanas.

Muitos hospitais realizaram pesquisas para tentar evitar que o bebê seja infectado durante o parto. Esses amplos estudos junto à população das maternidades revelaram que, se houver suspeita ou for provada a existência do organismo, ministrar antibióticos à mãe por via intravenosa no início do parto reduz em muito a probabilidade de transmitir o problema aos recém-nascidos. Quando os bebês são infectados por esse organismo, o primeiro sinal de problemas após o parto geralmente é o sofrimento respiratório (falta de ar). Consequentemente, a maioria dos bebês com esse sintoma é tratada imediatamente com antibióticos, simplesmente para protegê-la da possibilidade de infecção.

Herpes

Atualmente, um número significativo de mulheres carrega esse organismo que causa a segunda infecção potencialmente prejudicial: o vírus do herpes. Ele provoca úlceras recorrentes no trato genital, especialmente ao redor da vulva. Essas feridas podem durar de 3 a 5 dias e, então, sarar por completo; entretanto, elas podem ir e vir durante anos.

Outro problema comum causado pelo vírus do herpes é o herpes labial, originado por uma espécie diferente de vírus, mas, em termos práticos, trata-se do mesmo organismo. Se os bebês forem infectados por herpes, geralmente por contato direto com uma úlcera, ele pode se transformar em uma doença devastadora: há a possibilidade de surgirem infecções de pele recorrentes, danos cerebrais e até morte. Felizmente, essa infecção é bastante rara, apesar de o vírus ser comum entre as mães. Parece que a doença raramente se manifesta nos recém-nascidos porque os anticorpos da mãe passam ao bebê pela placenta e os protegem contra uma possível infecção por herpes. Esses anticorpos (como todos os que são transferidos pela mãe) desaparecem da circulação do bebê em três meses, mas têm excelente atuação no nascimento, quando o bebê pode estar em contato com úlceras do herpes no canal de parto.

Há alguns anos, os obstetras ficavam de tal maneira receosos diante da possibilidade de os bebês contraírem herpes que realizavam uma cesariana caso houvesse a presença de uma úlcera. Sabemos, hoje, que o risco é extremamente reduzido e, assim, o parto vaginal voltou a ser uma opção nesses casos. Naturalmente, o bebê ainda fica muito vulnerável se o parto ocorre quando a mãe está tendo sua primeira manifestação de úlceras de herpes. Se esse for o caso, a mãe não dispõe de anticorpos para dar proteção ao bebê, o que significa que cerca de metade dos bebês nascidos nessas circunstâncias provavelmente contrairia a infecção, de modo que uma cesariana se faz absolutamente necessária.

Outro ponto importante a ser lembrado é que os anticorpos do herpes na circulação do bebê se esgotam após alguns meses. Assim, mais tarde, se a mãe tiver uma manifestação da doença, deverá manter uma higiene rígida: lavar as mãos cuidadosamente e estar atenta para não colocar o bebê em contato com as úlceras. Da mesma forma, se a mãe do bebê **não** tem herpes, ele não tem anticorpos e está muito vulnerável a contrair o vírus, de modo que herpes labial no pai, amigos e parentes pode representar um perigo real. Essa, na verdade, é a fonte mais comum do vírus em bebês: é extremamente importante manter o bebê afastado de herpes labial ativo.

Outros organismos

Há outros organismos que podem causar infecções no bebê se estiverem presentes no canal de parto no momento do nascimento. Há dois micróbios transmitidos sexualmente que podem causar uma infecção aparente, ou permanecer latente no colo do útero ou na vagina e ainda causar problemas para o bebê: a gonorreia, que pode causar septicemia e infecção grave nos olhos, e a clamídia, pode provocar infecção nos olhos e nos pulmões. Se você acha que há a possibilidade de ter sido exposta à gonorreia ou à clamídia, informe seu médico para que ele solicite os exames necessários. Verrugas genitais geralmente não infectam os bebês, embora casos ocasionais tenham sido relatados.

A infecção vaginal mais comum durante a gravidez é a afta. Tal infecção causa poucos problemas, talvez nenhum para o bebê. Alguns podem contrair uma infecção branda na boca, mas existem várias outras fontes do fungo além da mãe.

Finalmente, se você é portadora do vírus da hepatite B, seu bebê é vulnerável. Hoje em dia, ele pode ser totalmente protegido através de uma imunização ativa e passiva. A injeção de um anticorpo (HBIG ou gamaglobulina hiperimune para hepatite B) imediatamente após o nascimento irá protegê-lo nas primeiras semanas. Ele também deverá receber a primeira de uma série de vacinas contra a hepatite B; em seguida, ele receberá toda a série como parte de sua imunização de rotina, o que é feito aos dois, quatro e seis meses.

VITAMINA K

Logo depois do nascimento, seu bebê receberá uma injeção de vitamina K. Essa prática é universal e tem uma boa razão de ser. Até 30 anos atrás, havia uma doença grave, comum e potencialmente fatal chamada de "doença hemorrágica do recém-nascido", que afetava até 1,5% dos bebês; era comum, alguns dias após o parto, que o sistema de coagulação do sangue do bebê parasse de funcionar eficientemente, e ocorria um sangramento, muitas vezes grave, no cordão umbilical ou no intestino. Muitas vezes, no caso de uma hemorragia branda, o bebê se recuperava espontaneamente, mas quando a perda de sangue era maior e ele não era tratado, podia entrar em choque rapidamente e morrer; o tratamento consistia em transfusão de sangue e vitamina K.

Qual a função da vitamina K?

O sistema de coagulação do sangue do organismo baseia-se em uma complexa série de reações entre várias proteínas e substâncias químicas chamadas de fatores coagulantes. Muitos deles precisam da vitamina K para serem ativados: sem ela, a coagulação é insatisfatória. Quando esse fato foi constatado, passou-se a ministrar uma injeção de vitamina K como rotina e a doença praticamente desapareceu. Isto é, até os últimos quinze anos, aproximadamente; desde então, tem havido relatos de uma nova e mais fatal forma da doença hemorrágica. Essa forma ocorre mais tarde, cerca de quatro a seis semanas após o parto, e a hemorragia muitas vezes se dá no cérebro, gerando consequências graves. Os bebês que apresentaram essa forma da doença têm dois fatores em comum:

> *Quando as injeções de vitamina K após o parto se tornaram rotina, a doença hemorrágica praticamente desapareceu.*

- Eles não receberam vitamina K após o nascimento.
- Eles eram alimentados exclusivamente no peito (nada de mamadeira).

Estudos revelaram que muitos bebês saudáveis nascidos a termo dispõem de estoques de vitamina K apenas marginalmente satisfatórios; no terceiro dia de vida, à medida que crescem, eles já podem ter uma deficiência dessa vitamina. Dar vitamina K à mãe antes do parto parece não ajudar, visto que ela não passa bem pela placenta. Também sabemos que o leite materno contém somente quantidades muito pequenas de vitamina K. O leite de vaca e o leite em pó para bebês contêm níveis muito mais elevados do que o leite materno (até 10 vezes mais). Se a mãe que amamenta tem uma alimentação rica em vitamina K, uma pequena quantidade passará ao leite e será absorvida pelo bebê, mas ainda estará longe de evitar a doença hemorrágica. Se você estiver amamentando, procure comer verduras folhosas verdes e frescas todos os dias, pois elas são ricas nessa importante vitamina.

Por que a doença hemorrágica reapareceu?

Provavelmente, por duas razões:

➡ Devido ao movimento contra a tecnologia nos partos e o medo do câncer (discutido abaixo), alguns pais recusam a vitamina K oferecida ao bebê.
➡ Há alguns anos, a maioria dos bebês recebia pelo menos uma pequena quantidade de leite de mamadeira ou de vaca como complemento, mesmo quando eram amamentados no peito, e isso era suficiente para elevar o nível de vitamina K em seu organismo e evitar a deficiência. Atualmente, a ansiedade em relação à alergia ao leite de vaca diminui a probabilidade de que ele receba tal complementação.

A ADMINISTRAÇÃO DE VITAMINA K

Durante mais de 20 anos, a maior parte do mundo desenvolvido tem dado uma injeção de 1 mg de vitamina K a todos os bebês quando nascem. Essa medida eliminou completamente a doença hemorrágica nos recém-nascidos e, aparentemente, não apresentava efeitos colaterais e não era perigosa. Em 1992, foi publicado um estudo realizado na Inglaterra que afirmava haver uma remota possibilidade de que essa injeção dobrasse o risco de câncer infantil naqueles que a recebiam, mas que parecia não haver nenhum risco adicional para os que tomavam a vitamina K via oral. Houve muitos problemas técnicos em relação a essa pesquisa. O artigo que apresentou a pesquisa relatou que os autores haviam analisado relatórios sobre um grupo de bebês, nascidos cerca de vinte anos antes, que havia recebido injeção de vitamina K. Os autores haviam tentado comparar esse grupo com outro semelhante, que não recebeu a vitamina K, ou que a tomou via oral. No entanto, mesmo os autores da pesquisa apontaram as falhas de seu trabalho. Além disso, praticamente não havia fundamento lógico para se acreditar nessa conclusão; há poucas indicações de que a vitamina K tenha qualquer outra relação com qualquer fato que não a coagulação do sangue e, muito menos, com câncer.

No entanto, o mais poderoso argumento contra a conclusão da pesquisa são as estatísticas sobre leucemia em países que usaram a injeção por 20 anos ou mais. A incidência dessa doença não apresentou alteração em nenhum lugar: ela permaneceu no mesmo nível de cerca de quatro em cada 100.000 (até quatro anos), e sete em cada 100.000 (de cinco a nove anos) desde o final da década de 40. Esses dados estão presentes em estatísticas dos Estados Unidos, da Inglaterra e de outros países, inclusive da Austrália.

Uma pesquisa convincente e exaustiva realizada na Suécia, em resposta ao estudo inglês, produziu a resposta final. A pesquisa analisou dados referentes a 1.3 milhões de crianças nascidas durante um período de 16 anos: um milhão recebeu injeções de vitamina K e o restante a recebeu por via oral. Os autores não encontraram nenhuma diferença nas estatísticas sobre câncer ou leucemia: a injeção foi considerada "inocente".

Quando começou o alvoroço, houve uma migração das injeções para a vitamina K por via oral em alguns países. Infelizmente, o novo preparado oral deve ser ministrado em pelo menos três doses separadas para se aproximar da confiabilidade das injeções. Algumas autoridades sugeriram que, mesmo se as conclusões da pesquisa inglesa fossem inverídicas, seria uma boa ideia que a vitamina K fosse ministrada oralmente. Recomendaram, ainda, que os bebês recebessem 2 mg de vitamina K oralmente no primeiro e no quarto dias, e novamente com quatro semanas de vida (alguns recomendaram que ela fosse dada mensalmente até a introdução de alimentos sólidos). Mesmo assim, essa medida não é tão confiável quanto as injeções. E, naturalmente, nesse caso, o perigo é que, se o bebê não tomar todas as doses, ele ainda corre o risco de desenvolver a doença. Outras autoridades, como a Academia Americana de Pediatria (que, devo acrescentar, pertence à sociedade que mais debate e mantém uma relação fóbica com o câncer na face da Terra), não sugere nenhuma mudança à prática atual. Restam poucas dúvidas, agora que a confusão amainou e que dispomos de informações confiáveis, de que uma injeção de 1 mg de vitamina K é a forma mais segura de proteger seu bebê.

Capítulo 4

Compreendendo o corpo de seu novo bebê

Todos os recém-nascidos devem ser submetidos a um exame físico completo no início da vida. Durante sua estada no hospital, geralmente o bebê será examinado duas ou três vezes.

O exame físico completo

Quando o bebê estiver sossegado, aquecido, seco e confortável, um pediatra irá submetê-lo a um exame minucioso.

Observação

O pediatra pode obter inúmeras informações sobre o bebê a partir da simples observação. Após essa análise geral, conduz-se um exame mais específico.

Postura. Geralmente, o bebê permanece em uma postura relaxada, com os braços estendidos ao lado do corpo, cotovelos dobrados, quadris e joelhos flexionados; o corpo fica ereto e a cabeça deitada de lado.

Cor. A cor geralmente é rosada (um pouco mais escura em bebês de descendência negra), mas as mãos e os pés poderão estar azulados e frios nos primeiros dias; após dois ou três dias, a cor fica ligeiramente amarelada, quando ocorre uma icterícia natural.

Respiração. A respiração é tranquila, com uma frequência de cerca de 40 inspirações por minuto, mas também pode apresentar um padrão alternado ofegante e superficial; isso é normal nos primeiros três meses de vida.

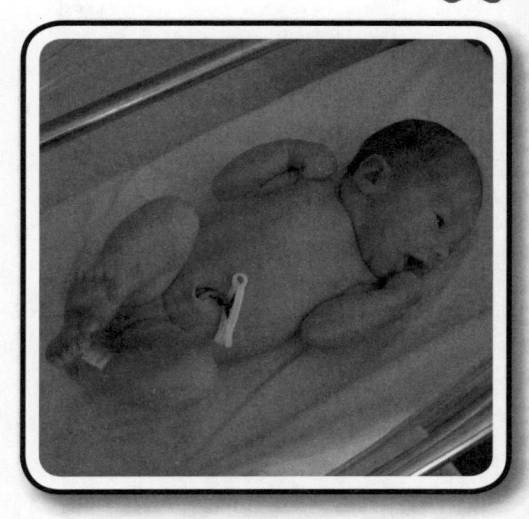

Aparência do rosto. O rosto é examinado a fim de verificar se sua aparência é normal (se parece um pouco incomum, o pediatra normalmente dará uma olhada no papai antes de dizer alguma coisa!).

Pele

Imediatamente após o parto, a pele do recém-nascido tem uma forte cor rosa, até mesmo vermelha, pois o nível de hemoglobina – o pigmento vermelho do sangue – é elevado durante a vida fetal.

Maturidade

- A espessura da pele está relacionada à maturidade do bebê. Um bebê precoce tem a pele fina, rosada e delicada; a pele de um bebê pós-maturo (um bebê nascido duas ou três semanas após o termo) é pálida, escamosa e parecida com papel pergaminho.
- Pode haver a presença de um material branco e gorduroso, chamado vernix (principalmente nas dobras da pele), em todos

os bebês, mas mais provavelmente nos nascidos mais de uma semana antes do prazo.

Marcas de nascença

- A maioria dos bebês tem o que chamamos de "mordidas de cegonha", marcas de nascença planas e vermelhas acima das pálpebras, canal do nariz e parte posterior do pescoço; as marcas do rosto desaparecem aproximadamente no primeiro ano.
- "Manchas mongólicas" são áreas irregulares de pigmentação azul escuro, geralmente encontradas acima e ao redor das nádegas; elas ocorrem em todas as raças, mas especialmente nos asiáticos, e costumam desaparecer nos primeiros anos de vida.
- Manchas de vinho do porto são manchas planas vermelho-escuro que podem ser bem grandes, e são mais incomuns; elas só desaparecem com tratamento, geralmente com terapia a laser.
- Manchas em morango – são marcas protuberantes vermelho cereja e costumam surgir uma ou duas semanas após o nascimento. Elas podem aumentar durante cerca de oito meses, mas acabarão desaparecendo, sem tratamento, entre as idades de 5 e 10 anos.

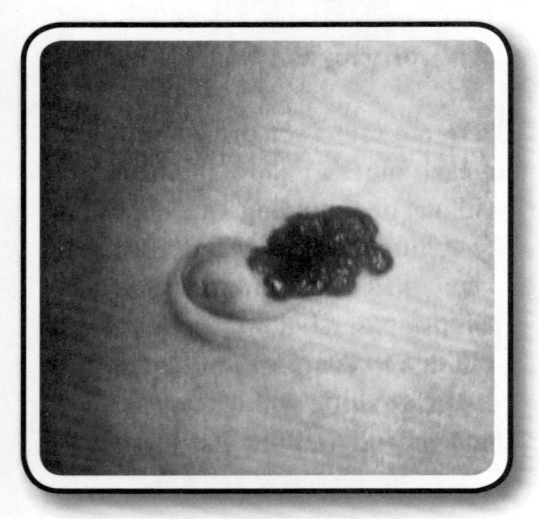

Uma marca em morango

Miliária

Essas pequenas manchas brancas surgem devido ao inchaço das glândulas sudoríparas e geralmente são encontradas na face, no queixo e no nariz. São causadas, provavelmente, por hormônios da placenta em interação com a glândula sudorípara em desenvolvimento. Não se preocupe com elas, mesmo que aumentem em quantidade: elas desaparecem após as primeiras semanas de vida.

> Ah, sim, boa cor, bom peso, olhos saudáveis e brilhantes, respiração normal, rosto normal...

> Nariz grande, pele horrível, olhos enormes, orelhas peludas, não entende nada de moda...

Outras marcas

Alguns bebês apresentam equimoses e outras marcas devido ao parto, especialmente na cabeça e no rosto. Não se assuste, os bebês foram maravilhosamente planejados para passarem por onde têm de passar (você!) e saram rapidamente; em alguns dias a maioria das marcas terá desaparecido. Não se aborreça com as marcas de fórceps ou do vácuo extrator (ventosa). O fórceps recebeu seu nome de forma injusta. Na verdade, os pediatras preferem um parto a fórceps para bebês prematuros. Ele age como uma gaiola protetora ao redor do crânio mole e, bem usado, ele faz bem, e não mal. É empregado principalmente para guiar a cabeça do bebê através da parte inferior curva da pélvis da mãe, caso ele esteja avançando devagar, a cabeça esteja na posição errada ou a mãe esteja cansada demais para empurrar.

A cabeça

O pediatra irá medir a circunferência da cabeça e sentir a moleira (o ponto no alto do crânio) e as beiradas dos ossos do crânio.

Formato da cabeça

- Os bebês se parecem um pouco com um tubo de pasta de dente quanto a sua capacidade de se encaixar em locais apertados. Após o nascimento, especialmente quando o canal de parto é estreito, a cabeça do bebê pode ficar alongada e disforme; isso é muito comum. Eu a aconselho a não se preocupar e esperar um pouco antes de tirar as primeiras fotografias do bebê.
- Os ossos do crânio do bebê (são quatro no alto da cabeça) não estão unidos e podem se sobrepor para permitir a passagem da cabeça no canal de parto. Essa sobreposição ou amoldamento pode aparecer como um espessamento no centro do crânio ou das orelhas e desaparece nos primeiros dias, não causando nenhum dano ao cérebro.
- É possível que se desenvolva um inchaço irregular, arredondado e esponjoso nos tecidos moles do crânio, também devido à compressão do canal de parto durante o nascimento; o inchaço irá desaparecer depois de alguns dias.
- O osso também pode apresentar inchaço, pois ele possui uma membrana (chamada de periósteo) aderida firmemente a sua superfície. Se o osso plano do crânio for um pouco flexionado ou sugado pelo vácuo extrator (ventosa) para auxiliar no nascimento, essa membrana pode separar-se da superfície subjacente e provocar sangramento debaixo dela. Isso causa um inchaço esponjoso chamado de cefalohematona, que leva algumas semanas para desaparecer. Em 20% dos casos, o inchaço se solidifica e o formato do crânio se recupera após um longo período de tempo, mas acaba desaparecendo.

A fontanela

Trata-se de um ponto em forma de diamante no alto da cabeça facilmente sentido com a ponta dos dedos. Apesar de sua aparente vulnerabilidade, é uma membrana muito espessa e forte, e não há nenhum perigo de causar danos durante o manuseio normal do bebê. É comum que aumente um pouco nos primeiros meses, e irá fechar entre os nove e dezoito meses de idade.

- Às vezes, você vai perceber que ela pulsa de acordo com a frequência cardíaca: isso é normal. Ela também fica protuberante quando o bebê chora ou faz esforço, o que também é normal se o abaulamento desaparecer quando o bebê para de gritar ou se senta ereto.
- Sentar o bebê fará com que a fontanela fique plana ou afundada, o que também não representa um problema. Talvez você tenha ouvido dizer que uma fontanela afundada pode estar relacionada à desidratação, mas esse é um sinal que aparece em um estágio avançado de uma desidratação grave: outros sintomas serão notados muito antes de chegar a esse ponto. Se o bebê está molhando mais que três fraldas por dia e não está doente ou desidratado, não se preocupe: uma fontanela afundada, por si só, não significa nada.

Os olhos

Habitualmente, são claros, de um tom azul-acinzentado ou castanhos. Para a maioria dos bebês, é necessário cerca de um ano para que a cor definitiva dos olhos se revele.

> *Geralmente, é necessário cerca de um ano para que a cor definitiva dos olhos do bebê se revele.*

- São muito comuns pequenos pontos de sangue no branco dos olhos: eles se devem ao rompimento de vasos capilares na compressão durante o parto. São totalmente inofensivos e desaparecerão em cerca de uma semana.

- Um estrabismo intermitente também é normal, principalmente quando o bebê está mamando, pois ele somente utiliza a imagem de um olho por vez: o outro pode vaguear ao acaso. A menos que o estrabismo seja constante, não há motivos para preocupação. Lembre-se, os bebês enxergam claramente a partir do nascimento e, de fato, mostram preferência para fitar rostos desde cedo.

A boca

- Pequenos cistos brancos são vistos com frequência ao longo das gengivas e no palato duro, principalmente na linha central, no meio do palato; eles não causam nenhuma consequência e logo vão desaparecer sem tratamento. O pediatra examinará o palato do bebê com cuidado, a fim de constatar a existência de fendas no palato duro ou mole.

O peito

- É comum ver um aumento nas mamas de muitos bebês. Isso é causado pelo estímulo de hormônios femininos presentes na placenta nos tecidos e não tem significado. Às vezes, as mamas produzem uma secreção leitosa devido ao efeito desse estímulo. Antigamente, acreditava-se que esse "leite encantado" tinha poderes místicos.
- Geralmente, não é necessário examinar os pulmões com o estetoscópio: uma frequência respiratória normal é, sem dúvida, o indicador mais sensível.
- Muitas vezes, os pais notam uma protuberância sólida imediatamente abaixo do esterno, no alto do abdômen (geralmente, às 2 horas da manhã!). Esse é o manúbrio, a extensão do esterno feita de cartilagem, e é normal.

O coração

- Uma frequência cardíaca normal geralmente fica entre 100 e 140 batimentos por minuto.

- O coração também é examinado com o estetoscópio para verificar a existência do som de um sopro. A maioria dos sopros ouvida nos primeiros dias não é perigosa; podem ocorrer devido a um retardamento na circulação, com a mudança da circulação fetal para a de um recém-nascido (duto arterial patente: PDA), ou à presença de um pequeno orifício entre as duas principais cavidades que bombeiam sangue no coração (defeito septal ventricular: VSD). Ambos os problemas se corrigem dentro de poucas semanas e são inofensivos.

O abdômen

- O médico examina o abdômen a fim de se certificar de que o fígado, o baço e os rins são normais, e também para procurar quaisquer nódulos ou massa anormais.
- Verifica-se se o ânus está aberto.
- O cordão umbilical contém três vasos (uma veia e duas artérias). Ocasionalmente, pode haver uma hérnia umbilical. Esse problema não é grave e raramente requer cirurgia: geralmente desaparece por volta dos cinco anos.
- Podem ser sentidas, com a ponta dos dedos, as artérias principais (femurais) na junção do abdômen e dos quadris; uma pulsação normal significa que não há um estreitamento da artéria mais acima.

Os genitais

Eles serão examinados minuciosamente para verificar quaisquer anormalidades.

- Nos meninos, ambos os testículos se encontram no escroto. Mãos frias, contudo, podem fazer com que desapareçam temporariamente, visto que existe um reflexo que os puxa para cima e fora da vista.
- Quando os testículos são formados no abdômen, perto dos rins, eles devem migrar para baixo, atravessar a virilha e alojar-se no

escroto, no último trimestre da gravidez. Ocasionalmente, eles interrompem essa jornada e recebem o nome de criptorquídios. Cerca de 3% dos bebês apresentam esse problema e 90% desses testículos acabarão por descer por conta própria no primeiro ano; o restante pode requerer cirurgia após cerca de um ano para trazê-los para o escroto.
- Nas meninas, a vulva tem aparência um tanto inchada e vermelha quando comparada a anos posteriores.
- Ocasionalmente, os pequenos lábios são protuberantes entre os grandes lábios; isso é comum no bebê nascido a termo e até mesmo nos ligeiramente prematuros.
- Às vezes, podem ser vistas pequenas quantidades de muco e sangue na abertura da vagina. Isso acontece devido ao estímulo hormonal da placenta e não é importante.

Os quadris

As articulações do quadril são examinadas em busca de estalidos, que são bastante comuns e inofensivos no recém-nascido, ou de deslocamentos. Um exame completo do quadril é uma parte realmente importante desse procedimento. O médico irá examinar os quadris do bebê novamente antes de vocês dois receberem alta do hospital.

Pernas e pés

- É normal que as pernas do bebê sejam arqueadas. A ligeira curvatura da tíbia é causada pela postura dentro do útero.
- A maioria dos bebês mantém os pés voltados para dentro enquanto no útero e pode conservar essa postura durante algumas semanas após o parto. Ocasionalmente, ela é chamada de "talipe", mas não se trata da talipe do pé torto; se o pé puder ser mantido nos ângulos corretos em relação à perna e com a sola plana, trata-se de uma articulação de calcanhar normal. Agora que dispõe de espaço, o bebê fará seus próprios exercícios e não precisará de tratamento.

◆ Se houver suspeita de um bloqueio ósseo para deixar o pé em posição plana, será necessário submeter o bebê à fisioterapia ou colocar uma tala.

As costas

O médico verificará se a coluna está ereta e não apresenta falhas; é comum haver uma depressão na base da coluna, o que é absolutamente normal e desaparecerá com o tempo.

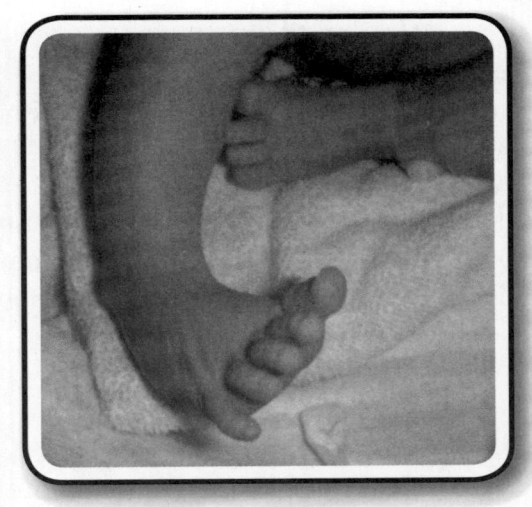

Apesar da aparência, esse pé voltado para dentro é absolutamenete normal.

O sistema nervoso

No exame do sistema nervoso, são observados e anotados a postura, o tônus e a força muscular, os movimentos, as reações, o humor e o choro do bebê.

Postura e tônus

O novo bebê costuma manter braços e pernas flexionados junto ao corpo e a cabeça deitada de lado. Ele não tem muita força no pescoço, mas, se for deitado de bruços, conseguirá erguer a cabeça da cama momentaneamente usando os músculos "extensores do pescoço". Eles são mais fortes do que os músculos "flexores do pescoço". Quando, ao estar deitado de costas, o bebê é puxado para a posição sentada, a cabeça costuma cair para trás; nessa posição, as costas ficam encurvadas. Quando perturbado, suas pernas darão chutes alternados. As mãos costumam gravitar em direção à boca. Muitos de seus movimentos são resultado do que se chamou de "reflexos primitivos".

Reflexos primitivos

O bebê nasce com várias reações automáticas a mudanças quanto à posição ou ao ambiente. Esses são reflexos que emanam dos centros inferiores da consciência no cérebro. À medida que o bebê amadurece e se desenvolve, os centros superiores assumem o controle de seus movimentos e esses reflexos desaparecem. A sequência e o momento certo de seu desaparecimento nos dizem muito sobre a saúde neurológica do bebê.

➤ O reflexo Moro

Especialmente evidente é o reflexo de "susto" (Moro). Se o queixo do bebê está pousado sobre o peito e a cabeça dispõe de espaço para ir para trás, ele vai reagir com o abrir dos braços como se quisesse agarrar alguma coisa; então, ele irá movê-los em arco em direção ao centro do peito. É possível que a costas se arqueiem. Ao mesmo tempo, ele arregala os olhos, mostra uma expressão infeliz e pode começar a chorar. O teste do reflexo Moro é um bom indicador do tônus muscular do bebê. Esse reflexo desaparece gradativamente entre os primeiros dois ou três meses de vida.

➤ O reflexo de preensão dos dedos

Se a palma da mão do bebê for estimulada com um dedo, ele fechará a mão e tentará agarrá-lo. Os pais adoram quando o bebê se agarra a eles com força logo depois de nascido. Esse reflexo é tão forte que o bebê realmente pode suportar o peso do corpo ao agarrar um dedo em cada mão, mas não recomendamos que se confie nisso. Os dedos dos pés também se flexionam em resposta a um estímulo parecido na sola do pé.

➤ O reflexo de enraizamento

Quando a bochecha do bebê for delicadamente tocada, ele virará a cabeça nessa direção. Isso é o que se chama de reflexo de enraizamento e garante que ele irá procurar o mamilo quando sua bochecha roçar o peito da mãe.

◆ O reflexo de marcha

Erguer o bebê e colocar seus pés em uma superfície o induzirá a realizar um movimento imperfeito de caminhada. Esse movimento não tem origem na mesma área do andar e, mais tarde, com algumas semanas de vida, essa habilidade vai desaparecer.

◆ O reflexo de subida

Ao colocar a tíbia do bebê em contato com a beira de uma superfície plana, ele vai erguer a perna para superar o obstáculo, como se estivesse subindo uma escada.

◆ O reflexo de Gallant

Ao segurar o bebê com o rosto virado para baixo na mão de uma pessoa e delicadamente coçar a pele em qualquer um dos lados da coluna, ele vai flexionar as costas para o lado tocado. Esse é um reflexo comparado ao movimento natatório e pode ser um remanescente de nosso passado aquático.

Testando os sentidos

Depois do "ele está bem", inevitavelmente vem "Ele enxerga bem?" ou "Ele escuta?" É difícil determinar esses aspectos no novo bebê, a menos que se usem testes altamente técnicos. Contudo, muitas informações importantes podem ser extraídas do exame clínico.

Visão

O bebê pode ver, mas possui uma distância focal limitada a cerca de 17 cm. Ele pode virar-se e fitar uma luz e, muitas vezes, olha fixamente para um rosto.

- O cristalino será examinado com um oftalmoscópio para verificar se está claro e livre de catarata.
- Os movimentos dos olhos também podem ser testados: segurar o bebê pelas axilas e balançá-lo delicadamente de um lado a outro fará com que seus olhos se voltem na direção do balanço. Esse exame testa os músculos que movimentam os olhos para a parte exterior da órbita ocular. Às vezes, o nervo que atende esse músculo é esticado durante o parto, o que pode paralisá-lo temporariamente e provocar um estrabismo persistente no bebê. O problema geralmente melhora dentro de seis semanas.

Audição

A audição é algo um tanto difícil de ser testado clinicamente. Nos primeiros dias, o bebê é muito tolerante a ruídos altos. Lembre-se, ele acaba de deixar o ambiente barulhento do útero, onde a aorta da mãe, a principal artéria do corpo, pulsava a alguns centímetros de seu ouvido, os intestinos borbulhavam, e a bexiga se enchia e se esvaziava. Geralmente ele vai responder a um bater de palmas ou ruído alto se você o apanhar no momento certo, mas esse é um procedimento falível. Atualmente, dispomos de exames automatizados adequados em muitas áreas que irão se tornar cada vez mais difundidos nos próximos anos. Esses testes descobrem o dobro de bebês surdos do que os métodos clínicos e, com muito mais antecedência. A perda da audição do recém-nascido não é rara. Cerca de 133 em 100.000 apresentam uma perda de audição significativa que necessita de atenção, e cerca de metade desses bebês não apresenta fatores em seu histórico que os coloque em risco, como casos de surdez na família ou um problema que os tenha obrigado a permanecer algum tempo na unidade de tratamento intensivo neonatal. É vital que se diagnostiquem esses bebês antes dos seis meses, para que se possa iniciar um tratamento e a linguagem se desenvolva normalmente.

Dos dois tipos de exames disponíveis, o mais fácil de ser usado e, portanto, o mais comum, é o de "ecos da cóclea" (emissões otoacústicas evocadas transientes). A aparelhagem de teste envia sons de baixa intensidade ao ouvido e mede a atividade das células ciliadas externas da cóclea. Trata-se de um exame rápido, confiável, de fácil realização e que, apesar de não medir realmente a audição, estabelece uma boa correlação com ela. No método alternativo, (resposta do tronco cerebral auditivo), colocam-se eletrodos na cabeça do bebê, a fim de detectar a resposta do tronco cerebral aos estímulos auditivos. Ele mede a verdadeira capacidade auditiva, mas é mais difícil e demorado do que o anterior. A maior parte dos laboratórios de audiometria usa o primeiro método para todos os bebês, e então examina casos suspeitos com o segundo.

Exame de alta

Antes de mandar o bebê para casa, o médico fará um exame final para verificar os seguintes aspectos:

- O coração é examinado para garantir que nenhum sopro tenha surgido desde o primeiro exame. Devido às grandes mudanças pelas quais a circulação do bebê está passando nesses primeiros dias, alguns sopros levam algum tempo para se desenvolver.
- A circunferência da cabeça é medida novamente, agora que a maior parte dos ossos voltou ao lugar.
- O cordão umbilical é examinado para verificar a existência de alguma infecção e para assegurar que o processo normal de cicatrização e separação esteja ocorrendo.
- Os olhos do bebê são examinados para ver se não há nenhuma secreção e, se necessário, a massagem do canal lacrimal é ensinada à mãe.

- A pele é examinada em busca de quaisquer erupções ou espinhas (pústulas) causadas por infecções de pele.
- Os quadris são reexaminados, por garantia. Quadris cujos ligamentos estavam um tanto frouxos no primeiro dia devem agora estar mais firmes no lugar. Caso esse seja o caso, não precisam de cuidados, mas ainda devem ser acompanhados com atenção.

A amamentação é avaliada para ver se está se desenvolvendo bem. Normalmente, o bebê é pesado, apesar de que, nesse estágio, não é importante haver ou não aumento de peso. Quaisquer perguntas que você tenha devem ser respondidas. É esse o momento de esclarecer quaisquer conselhos conflitantes que você possa ter recebido e de descobrir onde conseguir ajuda se ficar preocupada depois que chegar em casa. Não desperdice a oportunidade.

> *Assegure-se de esclarecer quaisquer conselhos conflitantes que possa ter recebido.*

Bebês pequenos

Bebês que pesam menos de 2,5 quilogramas ao nascerem são definidos como pequenos. Há vários motivos para que eles sejam assim:

- Talvez os pais sejam pequenos. Nesse caso, o bebê deve se comportar e ter as mesmas necessidades de qualquer outro bebê nascido a termo.
- O bebê pode ser prematuro. Nesse bebê, algumas funções importantes podem não ter sido desenvolvidas totalmente. Isso pode ocasionar um poder de sucção e amamentação inadequados, dificuldades respiratórias, uma tendência a ter a temperatura reduzida com facilidade ou queda da taxa de açúcar, e letargia em geral.
- O bebê pode ser pequeno "para a idade". Esse bebê é mais maduro do que o peso indica, mas está subnutrido, geralmente porque a

placenta e, consequentemente, a transferência de alimento da mãe não funcionou adequadamente nas semanas finais.

Os bebês dos dois últimos grupos recebem atenção extra até que estejam estáveis e funcionando bem, como um bebê maior estaria. É evidente que, se os bebês forem muito pequenos, instáveis ou exigirem atenção especial por algum motivo, serão admitidos na unidade de tratamento intensivo neonatal. Os cuidados que recebem vão além do objetivo deste livro. Entretanto, a grande maioria de bebês admitida em tais unidades se sai muito bem; se eles estão ali por serem prematuros, geralmente estarão em casa na época em que completariam 38 semanas de gestação.

Observações

Bebês pequenos, que são grandes o bastante para permanecerem com a mãe na maternidade, são examinados regularmente:

- frequência respiratória (a cada quatro horas);
- frequência cardíaca (a cada quatro horas);
- temperatura (a cada quatro horas);
- punção do calcanhar, a fim de medir a taxa de açúcar no sangue.

Conduta

Se o bebê nasceu cerca de uma semana antes do tempo (isto é, com 35 ou 36 semanas de gestação), a mãe pode contar com um pequeno atraso no início da amamentação, pois o reflexo de sucção pode ainda não funcionar bem durante alguns dias. Será preciso muita paciência e determinação para manter o aleitamento materno com os mais vagarosos. Em contraste, o bebê subnutrido pode apresentar um apetite voraz e trabalhar duro para atingir o peso a que acha ter direito e às custas da pobre mãe. Mais uma vez, paciência e amamentação sem fim são as palavras de ordem! Quando recuperar o peso (geralmente nos primeiros três meses), ele passará a adotar uma programação mais tranquila. Vale a pena lembrar que esses bebês têm reservas de energia limitadas para os primeiros dias. Por esse motivo, deve-se manter o olho em sua taxa de açúcar do sangue, por meio de punções no calcanhar, até que esteja estável. Esses bebês também podem exigir doses extras de leite (mamadeira) se forem pequenos demais para esperar a hora da mamada no peito, dali a dois ou três dias.

Além disso, sua temperatura deve ser verificada regularmente, pois eles podem ficar muito frios se não estiverem vestidos adequadamente em um ambiente frio. Bebês pequenos devem ser vacinados na época habitual, contada a partir da data de seu nascimento, **não** corrigida pela prematuridade.

A mãe de mãos vazias

É muito deprimente quando seu bebê precisa ir para o berçário de cuidados especiais em vez de ficar a seu lado. Muitas vezes, além da ansiedade, existe um sentimento de que você o decepcionou por não ter atendido todas as suas necessidades, além do temor de que, de alguma forma, sua ligação com ele seja prejudicada (adequadamente tratada, isso não vai ocorrer). Berçários para cuidados especiais parecem evocar reações diversas nos pais. Alguns consideram a tecnologia tranquilizadora: eles sentem que todo o equipamento está realmente produzindo uma melhora no bebê. Outros ficam simplesmente aterrorizados pelo fato de o bebê precisar receber cuidados em um ambiente que parece mais adequado a um astronauta. Você será encorajada a passar o máximo de tempo possível com o bebê: se se sentir bem com isso, faça-o. Se, por outro lado, ficar sentada ao lado dele a aterroriza e a enche de pânico, não o faça. Após alguns dias, você se sentirá à vontade o bastante para ficar com ele por períodos cada vez mais longos: aqui não existem regras fixas.

Muitos pais, principalmente mães, passam por um período um tanto angustiados se o bebê apresentou algum problema ao nascer. Eles se afligem pela perda da perfeição que imaginaram durante a gravidez;

podem sentir-se desapontados e zangados, além de tristes e ansiosos, enquanto lutam para se adaptar. Essas fortes emoções são direcionadas para o interior, como culpa, ou para o exterior, como raiva contra o parceiro, os médicos e enfermeiras e, até mesmo, contra o bebê. Assim como qualquer outra parte do corpo, nossa mente também precisa sarar quando é machucada, e essas emoções são parte do processo de cura. Aceite-as como elas são: um caminho doloroso, mas importante para se sentir melhor. Elas passarão e, para a grande maioria das mães, serão substituídas pela alegria quando um bebê saudável for colocado em seus braços.

Capítulo 5

Os primeiros dias

Mesmo os pediatras, com todo o treinamento que tiveram, ficam ansiosos quando têm seus próprios filhos. Por outro lado, os bebês, às vezes, também não inspiram muita confiança. Eles ficam cheios de muco, com manchas azuladas, respiração irregular, dormem profundamente ou não dormem de jeito nenhum e, quase sempre, não se encaixam no padrão que nós esperávamos.

Depois de ler este capítulo, você vai conseguir parar de se preocupar sem necessidade. Durma um pouco, se puder. Você vai precisar.

Coisas que podem preocupar os pais

Existem muitas pequenas coisas que os bebês fazem, nos primeiros dias, que provocam ansiedade e, até mesmo, pânico, nos pais.

Lidando com o grude

Muitos bebês têm bastante muco nas primeiras 24 a 48 horas. Eles têm ânsia e frequentemente vomitam muco claro ou manchado de sangue (da placenta). Pode ser bastante espesso, como melaço, e pode causar obstrução temporária da respiração do bebê. Esse muco é também a causa mais comum dos momentos em que o bebê fica "azulado" nessa idade. Eles podem ter dificuldade para respirar, arqueando as costas e aterrorizando a vida da mãe e das enfermeiras que estiverem por perto. Todos correm com os sugadores médicos, colocando os bebês em posição de "coma", apesar de o bebê não estar em coma, com medo de engasgos.

Relaxe. Os bebês nascem com reflexos incrivelmente bons de tosse e engasgo. Quando eles acabam de nascer, seus pulmões estão cheios de fluidos. Eles liberam a garganta e os pulmões, respiram pela primeira vez e, a partir daí, tomam bastante cuidado com as suas vias aéreas. Eles não têm a menor intenção de deixar o muco ou qualquer tipo de secreção na garganta, com o risco de serem inalados. Então, eles tossem e têm ânsias de vômito e lutam para liberar a área, antes de respirarem. Eles se viram muito bem sem ajuda e não vão se engasgar, mesmo que você não esteja olhando.

O muco é produzido pelo revestimento do estômago, como uma reação ao parto. Pode continuar a ser produzido por um dia ou dois, portanto, fazer lavagem estomacal não é bom. O muco, às vezes, também pode fazer o bebê ficar um pouco relutante em se alimentar. Não há necessidade de nenhum tratamento especial, mas inclinar o bebê de lado e dar tapinhas nas costas não faz mal algum.

Fungadas

Atenção! Essa é uma frase muito importante, que irá aliviar muito a sua ansiedade nos primeiros dias depois do nascimento do seu filho: não se preocupe, seu bebê **não** está resfriado.

Quatro em cinco bebês ficam muito congestionados, nos primeiros dias e semanas. Quando um bebê se alimenta, o leite desce pela garganta e sobe pelo nariz, e o delicado revestimento do nariz produz muito muco extra para se proteger. Se o bebê regurgitar ou vomitar, o suco estomacal, que é ácido, vai

> *Nos primeiros dias depois do nascimento, os bebês não estão resfriados.*

para o nariz também. Depois de algumas semanas, isso piora à noite, porque o bebê dorme por períodos mais longos (pelo menos é o que nós esperamos!), e o muco se acumula.

Se as fungadas atrapalham o sono ou a alimentação do bebê, descongestionantes locais ou gotas de soro fisiológico simples podem ajudar, mas o seu bebê vai odiar. Você vai, então, acabar perseguindo um alvo móvel – e o nariz é um alvo bem pequeno!

O meu conselho é ignorar as fungadas; elas vão desaparecer.

Tosse

Às vezes, a quantidade de muco produzido pelo nariz pode ser tão grande que escorre por trás do nariz e para dentro da garganta (faringe), onde se acumula e faz o bebê ficar com o "peito cheio" ou com tosse. Mais uma vez, você não precisa se preocupar.

Se o seu bebê realmente pegar um resfriado ou alguma outra infecção viral, não vai ficar só fungando ou com tosse. Provavelmente, vai ter febre e não estará bem. A tosse causada por infecção é mais repetitiva (muitas tossidas por episódio) e produtiva (de muco), como a tosse de um fumante. Você vai perceber que o seu bebê está diferente e, neste caso, corra para o médico.

Olhos grudentos

Cerca de 15% dos bebês ficam com os olhos grudentos, alguns dias após o parto. Um ou os dois olhos começam a soltar muco ou pus por baixo da pálpebra. Isso faz com que as duas pálpebras colem, especialmente depois que o bebê dormiu por um tempo.

O que acontece é que o bebê tem o canal lacrimal obstruído.

Olhos grudentos

Raramente é uma conjuntivite – 99% das vezes o bebê não tem uma infecção contagiosa que possa passar para o outro olho, ou para você. E a sua visão não será afetada.

Se olhar no canto interno de seu olho, você verá uma estrutura em forma de gota. Essa é a bolsa de lágrima, que coleta as lágrimas secretadas pelo olho e as leva por um tubo estreito, o canal lacrimal, para as cavidades do seu nariz. É por isso que o nariz escorre quando você chora.

Nos bebês, existe a tendência de a ponta final desse tubo ficar bloqueada com um pequeno tampão de muco. Então, ele se torna um tubo quente, cheio de lágrimas que incubam e deixam crescer todo tipo de germes que estejam por perto, e, com o tempo, produz pus. O problema desaparece quando o tampão no fundo do tubo sai – o que é feito por processos normais do corpo – mas, até lá, é preciso um pequeno tratamento:

- pressione gentilmente com a ponta do seu dedo o canto interno do olho, descendo até a metade da lateral do nariz. Isso irá espremer o fluido e o pus das duas pontas do canal lacrimal. Faça isso três vezes por dia, espremendo três vezes por vez. Então limpe o olho, de preferência com soro fisiológico, mas água fervida e resfriada também serve.
- Se o olho ficar muito grudento, pode ser necessário utilizar colírios com antibiótico, desde que prescritos pelo seu médico. Não cura a condição, mas tende a reduzir o número de germes dentro do canal lacrimal, além de impedir que o pus seco torne mais difícil, para o corpo, remover o tampão de muco.
- A massagem no ducto lacrimal deve continuar a ser feita por alguns dias, depois que o olho estiver limpo. O problema não costuma durar mais do que alguns dias; se isso acontecer, o tratamento é o mesmo. Você só deve pensar em levar bebê ao oftalmologista se o olho continuar grudento e lacrimejando por nove meses. Mesmo então, às vezes, o problema se resolve sozinho.

Soluço

Provavelmente, você notou que o seu bebê tinha soluços no útero, e agora, estando do lado de fora, ele também tem. Isso tende a acontecer durante ou depois das mamadas, e esses enormes soluços sacodem violentamente o corpinho do bebê, como se fossem convulsões! Não se preocupe. É sinal de agradecimento por uma boa alimentação: não é necessário nenhum tratamento.

Febre no segundo dia

Muitos bebês têm uma pequena febre, no segundo ou terceiro dia. Não representa uma infecção ou qualquer outro problema. Normalmente, coincide com a fase de "seca" do bebê, ou seja, depois que ele já perdeu muita água extra do corpo, e o leite ainda não entrou.

Nessa idade, os bebês são muito suscetíveis a serem superagasalhados. Então, se o tempo está quente, o bebê não precisa de muita roupa. Como regra, eles devem estar com o mesmo tipo de roupas que você. Os bebês não precisam de roupas especialmente quentes, a menos que esteja muito frio.

O problema com o controle da temperatura do bebê é que, embora eles não precisem de mais agasalhos que as outras pessoas, eles não conseguem compensar as mudanças rápidas. Se você estiver fora de casa com roupas leves, e uma virada no tempo esfriar a temperatura, o seu corpo compensa essa mudança, fazendo-a tremer e contraindo os vasos da pele para reter o calor na parte central do seu corpo; os bebês pequenos não são capazes de executar essa compensação com tanta eficiência. Portanto, vista o bebê apropriadamente para o clima do momento e, se o clima mudar, esteja preparada para isso.

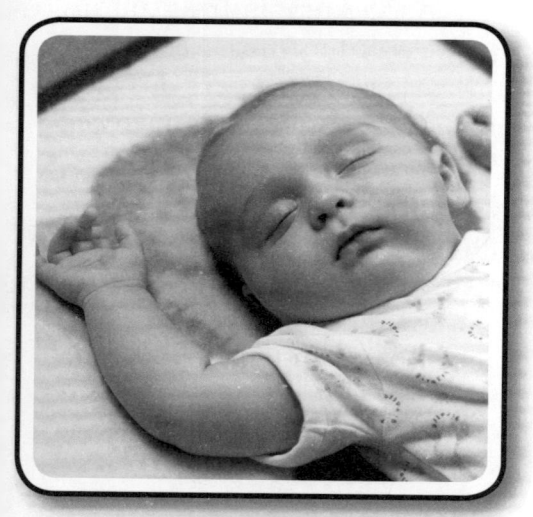

Tenha muito cuidado ao expor o seu bebê diretamente à luz do sol, principalmente nas primeiras semanas de vida. O corpinho dele é relativamente deficiente em fluidos nessa época, portanto, a luz direta do sol pode provocar uma elevação rápida de temperatura, que pode ser muito prejudicial. Evite o sol até que ele já tenha algumas semanas; e mesmo depois, é sábio tomar certas precauções.

Perda de peso

Quando os bebês estão no útero, eles são, na realidade, animais marinhos, boiando em um mar primordial. Quando nascem, seu corpo está relativamente encharcado e precisa se livrar de toda essa água extra. A natureza providenciou isso de uma maneira bastante inteligente. Primeiro, o seu leite não desce por uns dois dias, portanto o bebê não bebe muito, só um pouco de colostro por vez, o que permite que ele se livre da água extra. Segundo, ele continua urinando e, portanto, perde peso. É absolutamente normal. Muitos bebês perdem 10% do seu peso corporal, ou seja, 350g em um bebê de tamanho normal. É por esta razão que os bebês não se interessam muito pela alimentação, nos primeiros dois dias. A natureza lhes diz que não é necessário.

Erupção na pele: eritema tóxico

"Acho que tem mosquitos no hospital – meu bebê está cheio de picadas!"

Um ou dois dias depois do nascimento, é comum o bebê aparecer com a pele cheia de erupções, parecendo que ele foi picado por mosquitos. A erupção tem o centro amarelado e cercado por uma área avermelhada. Ocasionalmente, pode haver várias manchas dessas, parecendo sarampo. É uma erupção chamada de "eritema tóxico" e é completamente inofensiva, e nada tóxica!

Parece estar relacionada com o primeiro contato da pele do bebê com a roupa, especialmente de algodão. Não significa que o bebê é alérgico a alguma coisa ou que ele tenha a pele particularmente sensível.

A erupção não causa desconforto e irá desaparecer depois de alguns dias.

Pele seca

A maioria dos bebês nasce no tempo certo, e todos os bebês que nascem no tempo certo desenvolvem pele seca, nos dias seguintes ao parto. Às vezes, a pele pode ter rachaduras profundas e fissuras, e o bebê solta pedaços de pele morta, como uma cobra. Porém, o mais comum é que a pele gentilmente descasque, especialmente nas mãos e nos pés.

A camada de cima da pele, que estava em contato com o líquido amniótico, está simplesmente sendo trocada. Não significa que o bebê terá pele seca, permanentemente. Não tem relação com eczema e não precisa de tratamento.

Entretanto, alguns cremes hidratantes apropriados podem fazer com que a pele do bebê pareça mais com a famosa bundinha de bebê, pelo menos por vinte minutos!

Caroços

Alguns bebês desenvolvem caroços moles sob a pele, depois de alguns dias, geralmente perto do queixo e das bochechas. Isso se deve à ruptura de células adiposas da pele durante o parto. A gordura é liberada para o tecido sob a pele, que provoca uma reação inflamatória. É bastante inofensivo e os caroços vão desaparecer em algumas semanas.

Suor

Não é incomum que os bebês suem profusamente na cabeça e nos pés, o suficiente para molhar os lençóis. A causa é desconhecida, mas o suor não causa problemas e não está associado a nenhuma doença.

Manchas roxas ao redor da boca

Existe uma incrível lenda que liga a coloração roxa ao redor da boca do bebê com cólicas. Não me pergunte qual é a ligação: ela não existe. Essa coloração está provavelmente relacionada à congestão de veias depois de um vigoroso momento de sucção, e não tem a menor importância.

Unhas

Muitos pais ficam estupefatos com a perfeição das mãos e dos pés do bebê, quando ele nasce. Apesar disso, as unhas são um problema para eles, pois geralmente são compridas e eles raspam as bochechas com elas, arranhando-se, justo quando os avós vêm visitá-los. Continue lendo.

➤ Unhas compridas

Os bebês frequentemente nascem com unhas compridas nas mãos. Por coincidência, eles tendem a ficar com os braços flexionados no cotovelo, o que deixa as unhas afiadas na altura das bochechas. As bochechas dos bebês não foram feitas para parecerem arranhadas, portanto, as mães, em geral, querem cortar as unhas. Nas primeiras duas semanas é melhor colocar luvas de pano, daquelas com separação apenas para o dedão, nas mãos do seu bebê, do que cortar as unhas. Cortar unhas macias e quase transparentes pode ser uma tarefa complicada: é fácil cortar a pele e sangrar.

Mais tarde, é melhor usar cortadores do que tesouras. Mesmo assim, tenha muito cuidado, porque você pode cortar demais. Não consegui apoiar a ideia sugerida por muitas mães de, elas próprias, roerem as unhas do bebê, pois acredito que não só é difícil de fazer, como é difícil de executar com precisão. Um bom momento para cortá-las é durante a amamentação, quando o seu bebê está tão ocupado que tende a deixar as mãos paradas.

➤ Unhas dos pés que não crescem

Muitos bebês nascem com as unhas dos pés muito curtas, especialmente nos dedões. As unhas são normais e irão crescer sem problemas. Ocasionalmente, conforme a unha cresce, a pele forma uma ponta que fica vermelha e inflamada. Use um antisséptico local, por, aproximadamente, uma semana. Mesmo que a pele comece a formar crostas, não é preciso nenhum tratamento. Somente nos casos mais severos é preciso o uso de antibióticos, ou uma consulta com um cirurgião.

➤ Unhas infectadas

Não é raro que os cantos das unhas dos bebês fiquem vermelhos e inflamados, depois dos primeiros dias. O nome oficial dessa condição é paroníquia. Normalmente, começa no canto da unha que se encontra com a pele, geralmente com um pedaço da cutícula para fora. Nos estágios iniciais, tudo o que é preciso é um antisséptico local, mas, se a infecção começar a aumentar, os antibióticos são, em geral, necessários.

Fraldas manchadas de rosa

Algumas vezes, as mães se assustam, nos primeiros dias. Quando elas vão trocar a fralda do bebê, a urina parece estar manchada de sangue! Na verdade, não é sangue: é uma substância avermelhada, chamada "ureia", que os bebês liberam em altas concentrações, por alguns dias depois do parto. É normal.

As menininhas, às vezes, têm fraldas manchadas de sangue. Uma boa parte das meninas realmente menstrua, como resultado da retirada de hormônios que elas recebiam da placenta. Também pode ocorrer um corrimento vaginal, nos primeiros dias. É normal. Muitas meninas também podem ter um pouco de muco pendurado na parte final da vagina. Isso também é causado pelos hormônios da placenta; vai desaparecer, depois de alguns dias ou semanas.

Fluxo urinário

Já que estamos falando de fraldas, muitos meninos mostram o seu respeito pelas mães, logo no começo, fazendo xixi nelas. Essa demonstração oferece a chance de você fazer uma observação muito valiosa! Ela significa que o fluxo urinário do bebê é perfeitamente normal. Se a urina sair do menino aos pouquinhos, é bom avisar o pediatra ou a parteira. Ocasionalmente, os meninos têm algo na passagem urinária da bexiga que impede um bom fluxo e pode causar problema, se não for tratado. Esse problema não acontece com meninas.

Língua presa

Existe, normalmente, uma membrana fina, embaixo da língua, que a liga com o assoalho da boca. É uma estrutura normal, chamada de freio da língua. Às vezes, ele pode se estender, chegando perto da ponta da língua. É o que se chama de língua presa. Costuma-se dizer que, se a membrana se estender muito, é preciso ser cortada cirurgicamente. Não é verdade. Conforme a língua cresce, a membrana se retrai para a posição normal. Enquanto isso não acontece, normalmente não causa nenhum problema na alimentação ou para chorar, e deve ser deixada como está.

Muito raramente, essa membrana pode ser grossa e carnuda, e pode restringir tanto os movimentos da língua que o bebê não consegue estender a língua além da gengiva. Pode, também, levar o bebê a não conseguir se prender ao seio de maneira adequada, e a amamentação se torna dolorosa para a mãe e frustrante para o bebê. Essa condição é chamada de "anciloglossia"; dependendo das circunstâncias, a cirurgia pode ser necessária.

Higiene do umbigo

O umbigo não é, normalmente, para a mãe, a parte favorita do bebê. Muitas irão tocá-lo com relutância e medo de que, só por mexer, comece a sangrar, ou que o bebê se machuque de alguma maneira.

A verdade é que o umbigo não tem nenhuma fibra nervosa, portanto, mexer nele não causará dor no bebê; cortar o cordão umbilical também não doeu no bebê. Uma hora após o parto, as artérias entram em espasmo, portanto, o sangramento é improvável. Desde que o umbigo não esteja infectado, sangramentos importantes são impossíveis, depois do primeiro dia. Os pontos de sangue do umbigo são provenientes dos coágulos de dentro dele, e não são um problema. O umbigo é bastante resistente.

O umbigo deve ser limpo em intervalos regulares, porque os germes desenvolvem-se rapidamente na sua superfície e, principalmente, no espaço entre o umbigo e a pele. Se há vários bebês no mesmo ambiente, use álcool metilado diluído para a limpeza. Se ele estiver sozinho no quarto, água geralmente é suficiente. O álcool metilado elimina a possibilidade de infecção cruzada entre os bebês, pois o umbigo é uma fonte comum de germes; se ele estiver em um quarto sozinho, os germes serão só os seus, portanto, não há perigo para ninguém.

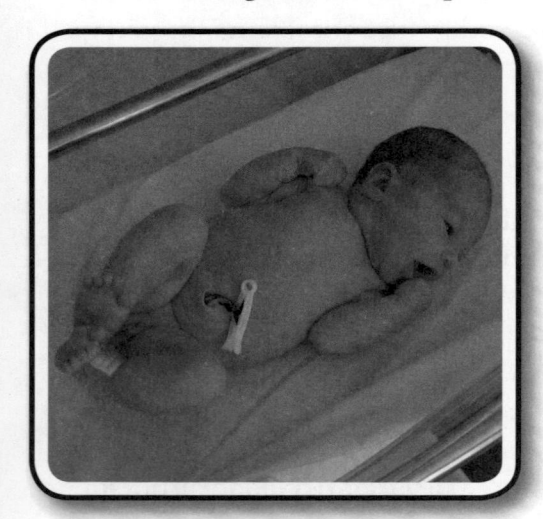

Limpe a base do umbigo e, ao mesmo tempo, estique-o para poder alcançar o espaço entre o umbigo e a pele. Se o bebê chorar enquanto você está fazendo isso, não é porque está doendo, mas porque o álcool metilado ou a água estão gelados, em contato com a pele.

Se o umbigo ficar com um cheiro desagradável, limpe com mais frequência. Se a pele ao redor do umbigo ficar vermelha, ele pode estar desenvolvendo uma infecção: comunique-se com o seu pediatra ou com a parteira.

Quando chegar em casa, você pode parar de usar o álcool metilado, pois não há mais perigo de infecção cruzada. Simplesmente limpe o umbigo com um pedaço de algodão, se ele cair logo. Os umbigos podem demorar de quatro dias a seis semanas para caírem.

Granuloma do umbigo

Às vezes, depois que o umbigo cai, é possível notar um calombo úmido e rosado de tecido no coto que restou. Não importa o quanto você limpe, ele continua drenando fluidos e não se cura. Pode durar semanas. Às vezes, o calombo fica até maior. Isso é o que se chama de granuloma, e é devido ao tecido de cicatrização, ou granulação, que não permite que o tecido normal o cubra.

Se você levar o seu bebê à enfermeira ou ao médico, eles irão colocar um pouco de sulfato de cobre, e vai desaparecer rapidamente.

Hérnia umbilical

Alguns bebês desenvolvem uma protuberância embaixo do umbigo, que se torna maior quando eles gritam ou tensionam a barriga. Se você apertar, é como se estivesse cheio de líquido, e desaparece no abdômen. Esse é o único tipo de hérnia que você pode ignorar completamente. Ela nunca causa problemas, nunca se rompe, nunca estrangula e não requer cirurgia.

É somente uma pequena abertura da camada de musculatura da parede abdominal, pela qual os vasos umbilicais da placenta passavam, e é composta de uma membrana muito forte. Vai desaparecer gradualmente. Na grande maioria dos bebês, desaparece completamente antes que a criança alcance os cinco anos de idade. Em geral, desaparece bem antes.

Sono agitado

Vale a pena lembrar-se desta frase: qualquer coisa que lembre o útero, para o seu bebê, tenderá a deixá-lo confortável e calmo.

> *Qualquer coisa que lembre o útero, para o seu bebê, tenderá a deixá-lo confortável e calmo.*

Pense nas mudanças pelas quais o seu bebê está passando! Da segurança quentinha e silenciosa do útero ele foi para o mundo frio e barulhento e, ainda mais, ele é um calombo estranho, com uma fralda. Alguns bebês fazem essa transição suavemente, mas outros são um pouco mais nostálgicos e reagem de acordo.

Se o seu bebê estiver inquieto nos primeiros dias, tente entender o que ele sente. Qualquer coisa que lembre o útero pode deixá-lo confortável e calmo. Segure-o contra o seu peito, com o ouvido dele nas batidas do seu coração. Embrulhe-o para que ele se sinta contido e seguro. Encoste-o em você, pele com pele, com um cobertor em cima de vocês dois. E, é claro, alimente-o se você achar que ele quer mamar (você não consegue superalimentá-lo nessa idade).

Quando ele sentir a pele dele em contato com a sua, e ouvir o som familiar das batidas do seu coração, que é o som que preenchia o mundo dele quando estava dentro de você, ele irá se acalmar.

Embrulhando bebês

Embrulhar o seu bebê, confortavelmente e com os membros contidos, pode ajudá-lo a dormir, porque faz com que se lembre de quando estava no útero e suprime os reflexos de susto.

Muitos bebês preferem ser embrulhados confortavelmente para se acalmar, pelo menos até que o reflexo do susto desapareça, o que acontece perto dos três meses. Esse reflexo é irritante para os bebês. Quando a cabeça cai para trás, os braços se mexem em uma tentativa primitiva de agarrar ou se segurar em alguma coisa. Como na sensação de estar caindo, essa sequência involuntária lhes dá medo. Barulhos altos ou outros estímulos também podem iniciar o reflexo. Embrulhar o bebê suprime isso, o que significa que eles conseguem se acalmar.

Chupetas e chupar o dedo

Se o bebê quer sugar, deve-se permitir que ele o faça. Se você não der a ele uma chupeta, ele provavelmente encontrará os dedos ou o polegar. Na verdade, um estudo recente mostrou que cerca de um terço das crianças de dois anos e meio de idade chupava o dedo e outro terço usava chupetas. Todas as teorias contra as chupetas são suspeitas. O dedão é provavelmente mais conveniente que a chupeta, pois esta tende a cair no chão e ficar fora de alcance. Alguns pais rejeitam as chupetas pela aparência, outros preferem que seus bebês chupem chupetas porque, no futuro, elas podem ser jogadas fora. O bebê chupa a chupeta ou o dedão por razões muito boas: isso o acalma, ajuda a dormir e é confortante. A opinião dos seus pais em relação aos aspectos estéticos não lhe interessa, e o bebê, com certeza, acha que os pais deveriam cuidar dos seus próprios problemas.

As chupetas não causam doenças, e chupar o dedo não vai deixar a criança "dentuça", obrigando os pais a gastarem uma fortuna no ortodontista, mais tarde. Nem o dedão vai encolher. Para a tranquilidade de todos, deixe o seu bebê decidir se e o quê ele quer chupar.

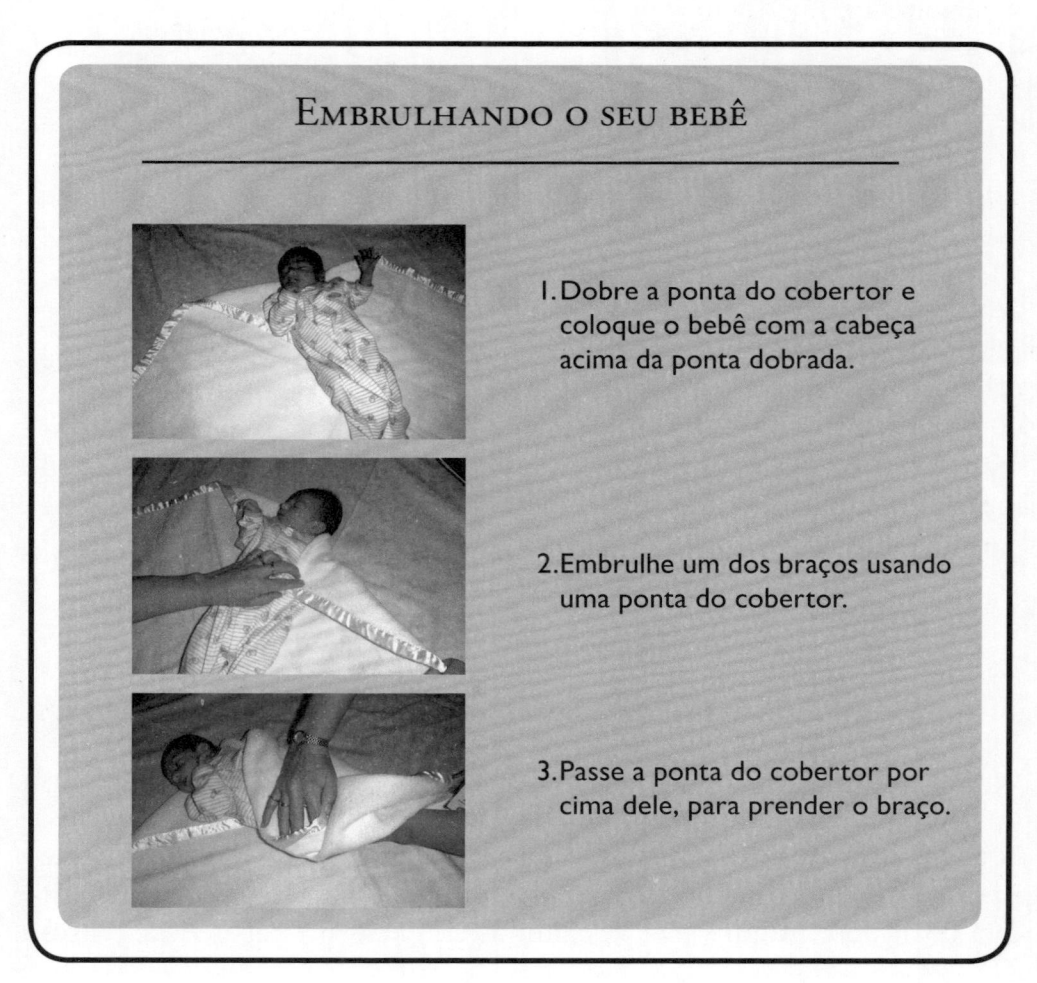

Embrulhando o seu bebê

1. Dobre a ponta do cobertor e coloque o bebê com a cabeça acima da ponta dobrada.

2. Embrulhe um dos braços usando uma ponta do cobertor.

3. Passe a ponta do cobertor por cima dele, para prender o braço.

Os primeiros dias

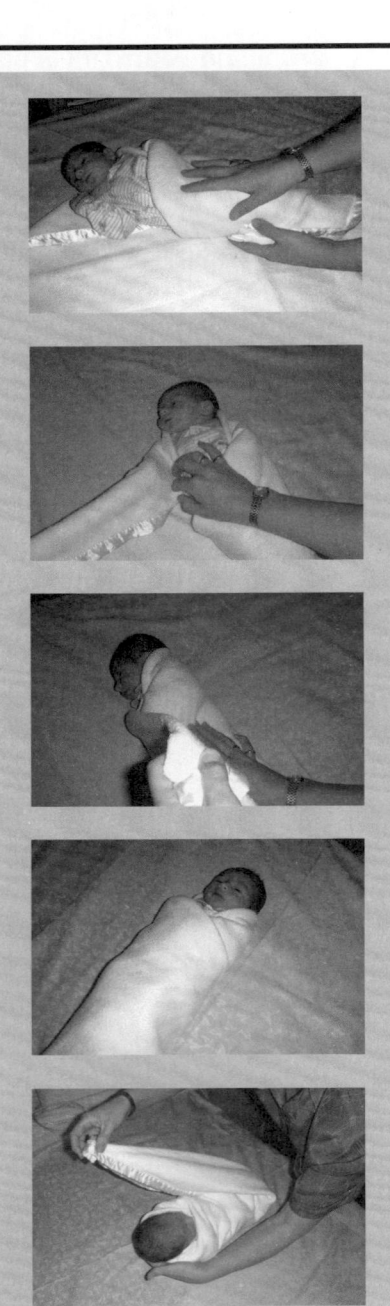

4. Role o corpo dele, para poder segurar o cobertor.

5. Repita com o outro braço, prendendo o cobertor contra o peito dele.

6. Segure a "cauda" do cobertor e role o bebê por cima, para poder segurar.

7. O nosso pequeno já está embrulhado confortavelmente.

8. Pegue a longa "cauda" do cobertor e puxe-a para cima.

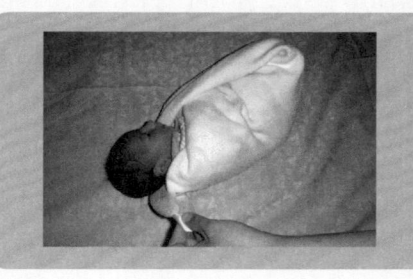

> 9. Passe-a por trás das suas costas e prenda atrás do seu ombro. Ele agora está seguro e firmemente embrulhado.

Tristeza do quarto dia

O quarto dia é horrível. O seu leite acabou de descer e você tem duas bolas no lugar dos seios. O seu bebê está levemente amarelado e você não sabe o que está acontecendo com ele. Ele foi amamentado a cada duas horas, nas últimas 24 horas, e você não se lembra de ter se sentido tão cansada como agora. A novidade e o deleite do nascimento estão começando a passar e você se sente deprimida. Todos os que vêm visitar só olham para o bebê e dizem como você deve estar se sentindo maravilhosa. O seu traseiro está dolorido e você não consegue se sentar de maneira confortável, ou, se você fez cesariana, a sua incisão dói. E, acima de tudo, fazer o intestino funcionar é difícil e dói muito.

Nesse dia, todos os problemas com o bebê estão exagerados. Ele parece ter um problema de alimentação insuperável. Você suspeita que a icterícia dele não é do tipo normal, mas, sim, uma doença nova. Quando ele chora, parece estar culpando você por ter nascido, e você tem certeza de que todos os médicos e enfermeiras acham que você só dá trabalho. O fato de o seu bom senso lhe dizer que não é nada disso não ajuda muito.

A única coisa reconfortante para se dizer é que muitas mães passam por tudo isto e que esses sentimentos logo desaparecerão. Eles parecem estar relacionados à remoção dos altos níveis hormonais da placenta que, acredite ou não, estavam dando a você um "barato" durante a gravidez. O quarto dia parece trazer todas essas coisas à tona. A minha recomendação é que você ache um cantinho sossegado (o chuveiro é uma ótima escolha) e chore bastante.

Algumas vezes essa depressão pode durar vários dias, ou até mais, mas não é o comum. Se parecer que o mesmo está acontecendo com você, não guarde isso para si mesma. O fato é importante, será levado a sério, pode ser tratado e é, provavelmente, mais comum do que as mulheres dizem.

> Quando eu estava grávida, se eu andasse de ônibus e ele passasse por um buraco, eu sempre colocava a mão na barriga, para proteger o bebê. Depois do nascimento, eu sentia falta dele lá. Uma vez, o ônibus passou por um buraco, e eu coloquei a mão na barriga e senti uma ponta de tristeza e de perda, porque ele não estava mais lá.

Dando nome ao bebê

Depois de alguns anos de experiência, percebo agora que eu não deveria escrever esta seção de jeito nenhum! Dar nome ao bebê é um processo profundamente pessoal e geralmente tem pouca relação com a lógica, a estética, o bom senso ou a previsão. As pessoas podem adorar nomes esquisitos, e eu já aprendi a não jogar a minha cabeça para trás e rolar de rir quando me dizem que o bebê vai se chamar Crudidge ou Waffinberry.

Mesmo contra o meu bom senso, gostaria de partilhar algumas poucas conclusões às quais eu cheguei sobre nomes de bebês:

- Lembre-se de que seu bebê vai ter que viver com o nome pelo resto da vida. Dentro de pouco tempo, ele vai começar a se parecer com o nome. Portanto, dê a ele um nome do qual ele tenha orgulho, e não um nome para agradar a tia rica, ou para seguir a tradição da família, ou porque o seu time favorito de futebol ganhou o campeonato.

- Se você der um nome que seja difícil de escrever, ele vai passar o resto da vida tendo que soletrá-lo para os outros. Eu acho que é um verdadeiro problema usar um nome comum que se escreve de forma incomum. Portanto, se você quiser chamar a sua filha de Cíntia, não escreva Cynthya.
- O ritmo é muito importante. Experimente o nome com o sobrenome e veja se é fácil de falar e se soa bem. Dalton Hilton simplesmente não dá certo.
- Cuidado com as iniciais. Evite WC, FDP, PQP, BUM.
- O humor é uma coisa boa, mas certifique-se de que a brincadeira não durará mais que alguns meses. Uma vez, tive como paciente um bebê prematuro de 700g. Os pais o chamaram de Golias, como brincadeira, mas eu não sei se ele apreciou a brincadeira aos catorze anos de idade.
- Tente evitar a moda. Alguns bebês, que nasceram na década de 1960, estão provavelmente cheios de seus nomes agora, principalmente os que têm nomes hippies. Outra coisa, se você é o décimo quinto João na sua sala de aula, isso pode ser uma chatice, portanto verifique quais são os nomes mais comuns e evite-os.
- Algumas pessoas precisam usar nomes da família. Porém, por que não fazer deles o nome do meio e dar um bom primeiro nome?
- Não se sinta pressionado a escolher o nome do bebê logo nos primeiros dias. Se você precisar de mais tempo, use-o. Não tenha vergonha de mudar de opinião em alguns dias ou semanas. É um assunto importante.

Quando o nome se torna um conflito entre os pais, um amigo meu, obstetra, recomenda um ótimo sistema, de autoria dele. Os pais vão para quartos separados e cada um escreve uma lista dos nomes favoritos, colocando o de que mais gosta como número um, e o que de menos gosta como número dez. Então, eles trocam as listas e eliminam os de que não gostam. Em seguida, cada um numera a lista do outro, de acordo com sua preferência. Normalmente, há uns dois nomes aos quais ambos os pais dão nota sete ou oito; eles podem, então, decidir em cima desses, sem perder tempo com os que não têm chance. Se houver empate, podem jogar uma moeda ou brigar por causa disso!

Capítulo 6

Questões médicas importantes

O s temas a seguir são bastante técnicos, mas são importantes e costumeiros o bastante para precisarem de explicação.

A triagem neonatal

Trata-se de um exame de sangue realizado no bebê na primeira semana após o nascimento, geralmente, no quarto dia de vida. Todos os bebês da maioria dos países o fazem. Colhe-se uma amostra de sangue do calcanhar; o sangue é absorvido por um pedaço especial de mata-borrão (papel filtro). Depois de seca, envia-se a amostra ao laboratório para ser examinada. Esse exame foi concebido para descobrir aqueles poucos bebês que têm doenças raras chamadas de "defeitos congênitos do metabolismo". Isto é, eles nascem com a falta de uma enzima, em maiores ou menores proporções, o que impede que o organismo metabolize e elimine o aminoácido fenilalanina. Esses distúrbios são muito raros (um em cada 10.000-100.000).

Atualmente, a triagem neonatal também abrange dois outros exames importantes:

- Um deles testa a função da tireoide e irá constatar se essa glândula está ou não produzindo hormônios suficientes (essa é uma causa importante de danos cerebrais se não descoberta de imediato).
- O outro constata a fibrose cística, uma doença das glândulas excretoras do corpo, que exercem uma ação significativa no pulmão e no aparelho digestivo do bebê.

Você não é informado se não há problemas detectados pelos exames, mas não é incomum que o laboratório peça amostras adicionais no caso de resultados inconclusivos ou problemas laboratoriais; nessas circunstâncias, o exame quase sempre será negativo (isto é, nenhum problema é encontrado) e o laboratório irá informá-lo desse resultado assim que o exame for realizado. Se o resultado for positivo, você receberá notícias dentro de poucos dias depois da realização do exame.

Problemas nos quadris

Pediatras são obcecados por quadris. Não me compreenda mal: nós nos preocupamos em saber se as articulações dos quadris se desenvolveram adequadamente, de modo que a cabeça do fêmur e a cavidade da bacia apresentem uma articulação estável que possa suportar o peso do corpo durante toda a vida. O acetábulo (cavidade) não está totalmente desenvolvido na época do nascimento, os ossos a seu redor são feitos de uma cartilagem mole e os ligamentos que a sustentam são relativamente frouxos.

A fim de desenvolver uma articulação estável, processo que leva cerca de um ano, a cabeça do fêmur dever pressionar delicadamente, mas de maneira firme, o centro do acetábulo. Com o passar dos meses, ela se aprofunda na cavidade e, quando se transforma em osso, está na profundidade e com o formato adequados. Se a articulação for rasa na época do nascimento ou os ligamentos forem frouxos demais, a pressão da cabeça do fêmur pode não ser firme o suficiente e o acetábulo pode não se aprofundar. Como resultado, o quadril pode se deslocar quando tiver que suportar peso ou quando o bebê finalmente andar.

Esse problema é evitável se pudermos descobrir os quadris que têm acetábulos rasos ou frouxos e tratá-los antes que a articulação se solidifique. Infelizmente, isso não é simples. Uma das muitas funções dos hormônios femininos produzidos pela placenta da mãe é amolecer os ligamentos a fim de facilitar o nascimento do bebê. Esses hormônios atravessam a placenta e exercem efeito semelhante no recém-nascido. Consequentemente, a maioria dos bebês tem "juntas duplas" e as articulações de seus quadris apresentam uma moderada elasticidade na articulação, o que é normal.

No exame das articulações dos quadris após o nascimento, exerce-se pressão nas pernas para trás, com os quadris flexionados em ângulos retos em relação ao corpo; essa pressão pode fazer com que a cabeça do fêmur se mova um pouco dentro da articulação pélvica. Quando isso acontece, diz-se que esses bebês possuem "quadris que estalam". Geralmente, essa frouxidão diminui e acaba desaparecendo nos primeiros dias ou semanas de vida.

Muito menos comum (cerca de um ou dois bebês em 1.000) é o deslocamento da junta do quadril, o que chamamos de "luxação congênita". Costumávamos chamar esse problema de "luxação congênita do quadril" (LCQ), mas hoje está claro que alguns bebês desenvolvem uma articulação rasa por motivos genéticos, sem nunca ter tido uma frouxidão na articulação do quadril, de modo que agora nós o chamamos de "displasia de desenvolvimento do quadril" (DDQ). Displasia significa "má-formação".

Sabemos que certos grupos de bebês são mais propensos a apresentar esse problema do que outros:

- os que têm um histórico familiar de LCQ/DDQ;
- bebês nascidos por parto pélvico;
- os que tinham apenas uma pequena quantidade de líquido amniótico;
- os que apresentaram outros indícios de ter tido pouco espaço no útero;
- os que tinham propensão a deslocar os quadris durante o exame após o parto;
- os primogênitos;
- as meninas.

Esses fatores são cumulativos. Por exemplo, se seu bebê é uma menina, primogênita e teve nascimento de nádegas, a chance de precisar de tratamento para DDQ passa a ser de uma em quinze. O exame clínico dos quadris do bebê sempre deve ser realizado por alguém capacitado em detectar DDQ. Como já foi mencionado, consiste em deitar o bebê de costas, fitando o médico, e segurar o quadril com firmeza em ângulos retos em relação ao corpo; então, delicadamente procura-se empurrar o fêmur para trás e fora da articulação. Feito isso, a perna é então virada para fora, de modo que o bebê assuma a postura de "sapo".

Esse procedimento testa a estabilidade da junta diante de um deslocamento. Qualquer bebê que tenha um exame suspeito ou que se insira em um grupo de alto-risco deve ser submetido a um ultra-som das articulações dos quadris. A menos que a junta esteja muito frouxa, caso em que o exame é feito de imediato, o bebê é submetido a esse procedimento quando atinge cerca de um mês de idade. Esperar um mês dá aos ligamentos frouxos algum tempo para que a influência do hormônio da placenta seja eliminada. Também é possível realizar exames de raios-X a partir da idade de quatro a cinco meses (quando há mais osso na articulação). Os raios-X continuam sendo o "equivalente ao padrão ouro" quando se trata de instrumentos para excluir a existência de DDQ.

Tratamento

Se a cabeça do fêmur puder ser "persuadida" a sair do acetábulo ou se a articulação apresentar uma elasticidade muito pronunciada, a maioria dos pediatras e ortopedistas prescreve o uso do suspensório de Pavlik, que é um apetrecho feito de tiras e velcro que mantém os quadris no ângulo correto em relação ao eixo do corpo. Essa medida aumenta a pressão da cabeça do fêmur no acetábulo e faz com que ele se aprofunde.

> *O suspensório é um pouco incômodo, mas nada mais.*

Não usamos mais "fraldas dobradas" para realizar essa tarefa. Elas dobram a quantidade de roupa a ser lavada e não funcionam; além disso, elas empurram as pernas para a posição de "sapo", o que é desnecessário e potencialmente prejudicial. O suspensório de Pavlik apenas impede os bebê de esticarem as pernas para fora (o que vira a cabeça do fêmur para a parte posterior do acetábulo). Ele continua livre para separar e quase juntar os joelhos. O suspensório é um pouco incômodo, mas nada mais.

Geralmente, não há problemas em dar banho no bebê algumas vezes por semana sem o suspensório, mas o acessório deve ser usado todo o resto do tempo. Ocasionalmente, o médico não permitirá a remoção durante o banho; pergunte a ele. Após um curto período de tempo, você irá se acostumar a ele e geralmente ele não será usado mais que doze semanas. Quando for retirado, os quadris de seu bebê estarão normais para o resto da vida; portanto, vale a pena.

OUTRA MANEIRA DE EXAMINAR OS QUADRIS DE SEU BEBÊ

Nos primeiros meses, há outro sinal físico útil que indica a possibilidade de DDQ: quando seu bebê está deitado de costas no trocador, normalmente os quadris podem ser estendidos e separados de modo que os joelhos possam tocar a superfície do trocador (ou quase tocá-la). Se parecer que há um bloqueio para esse movimento, peça ao pediatra para examinar os quadris do bebê, apenas por segurança.

Geralmente no segundo ou terceiro dia de vida, a pele da maioria dos bebês começa a ficar um pouco amarelada: é a icterícia. À medida que os dias passam, a cor pode se intensificar, e o branco dos olhos também pode ficar amarelo. A icterícia dos bebês não tem relação com a que ocorre em crianças mais velhas ou em adultos, que está associada a doenças, principalmente do fígado. A icterícia do bebê é apenas uma parte de sua adaptação à vida fora do útero.

A causa

A icterícia é causada por uma substância chamada bilirrubina, que é gerada pelo metabolismo da hemoglobina, o pigmento vermelho do sangue. Todos os dias, 1% das células vermelhas do sangue do corpo se decompõe e produz a bilirrubina. Enquanto o bebê se encontra no útero, essa bilirrubina passa pela placenta e é processada pelo fígado da mãe, para que possa ser excretada. O fígado do feto precisa realizar muito pouco desse trabalho; entretanto, quando o bebê nasce, seu fígado precisa aprender a processar a bilirrubina por si mesmo. Esse procedimento leva alguns dias e, consequentemente, nesse curto período, o grau de icterícia do bebê irá aumentar uniformemente. Na maioria dos bebês, nunca chega a um grau muito elevado e nenhuma medida precisa ser tomada: o bebê apenas fica como se estivesse bronzeado. Em alguns bebês, contudo, esse grau pode continuar a subir até que atinja um ponto acima da média. Em quantidades muito elevadas, a bilirrubina pode ser perigosa para o bebê; portanto, é uma boa ideia assegurar que a icterícia não atinja esses níveis.

Exames

- O médico pode calcular o grau de icterícia apertando o nariz do bebê, observando a cor da pele e verificando até que ponto do corpo ela se espalhou.
- Atualmente, alguns hospitais monitoram o grau de icterícia por meio do uso de aparelhos que lançam flashes de doses-padrão de luz na pele do bebê. O pigmento da icterícia presente na pele absorve a cor azul da luz e o aparelho mede a quantidade de luz absorvida, a fim de calcular o grau que ele atingiu.
- Se o grau de icterícia estiver acima da média, o nível de bilirrubina será medido e verificado por meio de exames de sangue uma ou

duas vezes por dia. Além disso, outros exames de sangue poderão ser solicitados, a fim de serem verificados outros problemas que possam aumentar a taxa de decomposição de células vermelhas no organismo, como a incompatibilidade entre os grupos sanguíneos do bebê e da mãe.

Se for constatado que o grau de icterícia está aumentando rapidamente ou em ritmo moderado, o médico dará início a um tratamento. Lembre-se, porém, de que a margem de segurança é muito ampla: enquanto o bebê estiver sob tais cuidados, não há perigo para a saúde dele.

Tratamento

O grau de icterícia no bebê pode ser controlado com fototerapia. Esse é um procedimento simples: o bebê nu é exposto à luz fluorescente comum. A bilirrubina absorve a energia da luz (a parte azul visível do espectro) e essa energia a decompõe para que possa ser facilmente excretada. Usamos a fototerapia como uma medida de apoio até que o fígado do bebê seja capaz de lidar sozinho com a bilirrubina.

Enquanto o bebê é submetido à fototerapia, sua temperatura é medida de vez em quando, para garantir que ele não fique com frio, e ele é alimentado normalmente. Alguns bebês com icterícia, contudo, ficam um tanto sonolentos e um pouco preguiçosos para mamar no peito. Se esse for o caso, tire o leite com uma bombinha e ofereça-o ao bebê na mamadeira ou, se a amamentação não teve início, ofereça leite em pó para recém-nascidos, mas isso não é comum. Assim que o grau de icterícia começar a cair, ele ficará mais desperto e se alimentará muito melhor, possibilitando que a alimentação adicional seja interrompida.

Quando a bilirrubina é decomposta pela ação da luz, os produtos dessa decomposição são passados às fezes, que costumam ser mais frequentes e de consistência mais mole, além de apresentar uma coloração mais esverdeada. Essas mudanças demonstram simplesmente que a fototerapia está atingindo seu objetivo e que a bilirrubina está sendo eliminada do corpo mais eficientemente. Alguns bebês não acostumados a banhos de sol choram nas primeiras horas sob as luzes. Porém, essa fase passa depressa, à medida que o bebê se adapta às novas circunstâncias e começa a gostar de expor-se à luz.

Icterícia prolongada

O grau de icterícia começa a diminuir a partir de cinco dias, com ou sem a ajuda das luzes. A partir desse prazo, cai rapidamente e deve ser ignorado, a menos que pareça estar aumentando, o que é um fato raro. Não é comum que a icterícia, embora mais atenuada, permaneça por várias semanas. Bebês em que isso ocorre invariavelmente são amamentados no peito. Parece que algumas substâncias presentes no leite impedem que o fígado do bebê elimine completamente a bilirrubina. Uma leve icterícia que permanecer não fará nenhum mal e, se você esperar, ela vai enfraquecer e desaparecer.

Capítulo 7

Amamentação

Nós já passamos da fase "O peito é melhor". Para a mulher de hoje, o *slogan* ideal talvez seja: "Amamentação é normal!" A última coisa que uma mãe ocupada precisa é pensar que a amamentação é algo "extra", um tipo de presente que somente mulheres muito dedicadas dão para os seus bebês. Nós sabemos que, biologicamente, não é especial; qualquer um que esteja no nosso galho da árvore da vida faz isso, por que é normal e apropriado.

Hoje em dia, a questão é como fazer uma nova mãe entender que o seu corpo foi desenhado para alimentar, e como lhe dar a confiança para fazê-lo. A arte da amamentação é, na verdade, um "truque de confiança". Nós sabemos que as mulheres que fazem isso bem e com facilidade são as que nunca consideraram que não conseguiriam. São mulheres que estão cercadas por pessoas que ensinam a elas como colocar o bebê no peito adequadamente e sempre dão a elas a impressão de que tudo vai dar certo.

> O problema começa com a alimentação ansiosa e complementar por mamadeira, no terceiro dia, e com aquelas pessoas que estão "ajudando"

> e dizem que tudo é difícil e doloroso, e "você está um pouco cansada, então você dorme essa noite e eu dou para o bebê uma mamadeira com leite artificial". Tenho certeza de que são pessoas muito gentis, mas estão sabotando todo o processo. Elas são os inimigos sutis da amamentação.

Pesquisas feitas com mães novatas mostram que o simples fato de ensinar como se faz o leite artificial, antes que elas saiam do hospital, reduz de maneira significativa o número de mães que amamentam com sucesso. Isso manda um sinal silencioso para essas mulheres ansiosas de que elas podem falhar na amamentação. Para a mãe, com o seu primeiro bebê, aparentemente vulnerável e totalmente dependente, a amamentação é uma grande responsabilidade. Nem o peito, nem o bebê dizem quanto leite está entrando. As mães têm que assumir que é o suficiente.

Existem poucas coisas parecidas com isso no mundo. Normalmente, você pode checar as informações, ou pedir um conselho, ou chegar a uma conclusão sozinha... Mas aqui é só o peito e o bebê, fazendo o trabalho deles.

Dando e recebendo

Além de estar dando a melhor nutrição, do tipo que o dinheiro não pode comprar, ao amamentar estamos dando e recebendo muito mais. O processo todo é cheio de comunicação: a mãe e o bebê, sozinhos e juntos, em uma bolha de calor, cheiros, toques, admiração e amor, abrindo canais um para o outro. Quando a mãe amamenta, tanto ela quanto o bebê secretam hormônios de conforto, chamados de endorfinas, substâncias parecidas com a morfina, que acalmam. Não é surpreendente, portanto, que a amamentação seja chamada de viciante. Ela foi projetada para isso. Como o sexo, é outra parte do processo reprodutivo que a natureza nos persuade a fazer e gostar.

Provavelmente, nós não apreciamos todas as vantagens da amamentação para os nossos bebês. Existem substâncias no leite cujas funções são completamente desconhecidas até agora, mas você pode apostar que elas são muito úteis.

Também existem muitas vantagens que nós **já sabemos**. Mais à frente, vamos discutir como a alimentação faz crescer os melhores cérebros, e as deliciosas variações de diferentes sabores que o bebê, que foi amamentado, experimenta. Além disso, é um tipo de leite barato, fácil de transportar e que não precisa ser esterilizado. É perfeito para o seu bebê, de todas as maneiras.

A amamentação também fornece imunidade contra gastroenterites bacterianas e diminui a incidência de infecções do trato respiratório e do ouvido médio, durante anos.

> *As maternidades dos hospitais têm equipes experientes para ajudá-la a começar. Use esse recurso vital, especialmente nos primeiros dias.*

> Começar a amamentar nem sempre é fácil. Pode parecer estranho, mas nos primatas, ou seja, nos mamíferos, como os chimpanzés, a habilidade de amamentar não é totalmente intuitiva: um pouco de ensino é útil. Nos bandos de chimpanzés, as fêmeas mais velhas ensinam às mais novas como fazer. Isso significa que tentar que gorilas amamentem no zoológico tem sido difícil: em geral, só há poucos em um zoológico, então, quando uma gorila tem um bebê, usualmente não há uma fêmea experiente para ensiná-la como alimentar o filhote. Para superar isso, os zoológicos tentaram permitir que as fêmeas de gorilas assistissem a mulheres amamentando, ou passavam vídeos de gorilas alimentando os pequenos.

As maternidades dos hospitais têm equipes experientes para ajudá-la a começar: certifique-se de usar esse recurso vital. Peça ajuda, especialmente nos primeiros dias.

Os primeiros dias

Muitos bebês só dormem durante os primeiros dois ou três dias, e não parecem nem um pouco entusiasmados em se alimentar. Isso não é surpreendente, na realidade, pois não há mais do que um pouco de colostro e, sendo pessoas sensatas, os bebês só fazem o que lhes recompensa.

Colostro

Um tempo antes de o seu filho nascer, e em quantidades maiores logo depois, o peito produz o colostro. É um fluido de coloração transparente e amarelada, cheio de anticorpos e células promovedoras de imunidade. Essas substâncias regulam o intestino e preparam o início da imunidade contra as gastroenterites. O peito comum produz de 2 a 12 ml de colostro por mamada. Não é uma grande refeição, mas é o suficiente. Certamente é bom para o bebê, mas não chega a ser um grande problema se o bebê não mamar por alguma razão. O intestino do bebê irá recuperar o tempo perdido quando o leite estiver disponível, e o leite materno contém todas as mesmas substâncias, além da lactose, ou açúcar.

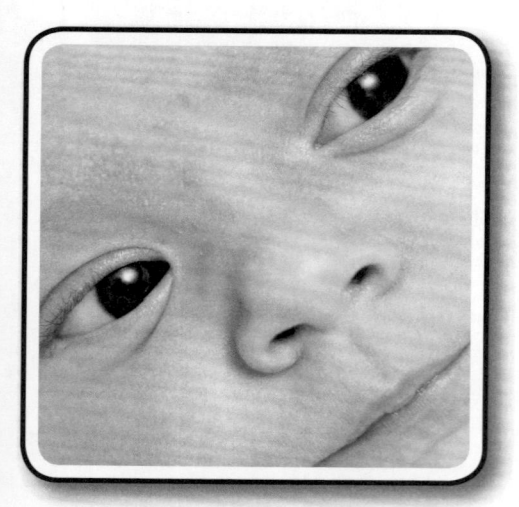

Água

Os bebês são relativamente "encharcados" quando nascem. O período de dois ou três dias até que o leite chegue é projetado para permitir que eles se livrem da água extra. É bastante incomum que o bebê fique desidratado, portanto não se deve oferecer água. Não o alimente com água ou glicose; isso só fará com que o seu bebê vomite e irá fornecer muito pouco nutriente. Não fará mal algum se vocês dois esperarem pacientemente pela chegada do leite materno.

A "chegada" do leite

Em cerca de dois dias e meio, o leite "chegará", e você sentirá uma mudança nos seios: eles ficarão mais firmes e quentes. Cerca de doze horas após o início dessas sensações, o leite começará a fluir. Um pouco antes, e pelos próximos dois dias, o seu bebê vai querer ser alimentado com mais frequência, às vezes a cada uma ou duas horas – o que chamamos de "o frenesi da alimentação" –, conforme, intuitivamente, ele maximiza o fluxo do seu leite. Isso pode, realmente, fazer que você se sinta desgastada, mas não tema. O seu bebê irá se acalmar quando conseguir induzir um bom suprimento, então ele vai se alimentar por longos períodos, com menos frequência.

Especialmente durante esse período, você **não** irá superalimentar o seu bebê. Essa não é a hora de se preocupar com mamadas com espaçamento regular, o bebê dormindo, o bebê tendo cólicas, o bebê sendo muito exigente ou como você vai fazer se ele continuar se alimentando desse jeito! Ele não vai. Aguente firme, que logo ele entrará em um padrão mais tolerável.

Encaixando o bebê no peito

Como encaixar o bebê no peito é a principal técnica que você e o seu bebê precisam aprender. Alguns bebês, se as mães deixarem, irão sugar o mamilo como se fosse uma mamadeira. Não é uma boa técnica, porque não produz colostro para o bebê e sensibiliza, podendo até ferir os seus mamilos. Fazer com que seu bebê pegue adequadamente é crucial para a amamentação, portanto, consiga a melhor ajuda que puder para as primeiras mamadas.

O bebê deve ser apresentado ao seu peito, de preferência antes que esteja gritando e tenso, de forma que tanto você quanto ele estejam bem relaxados. Procure ficar confortável, sentada ou deitada de lado. Tire a roupa do bebê, para que ambos possam aproveitar o contato da pele; se estiver um dia frio, puxe um cobertor sobre vocês dois. Converse gentilmente com ele e deixe que ele sinta o seu mamilo com os lábios.

Evite colocar a mão por trás da nuca dele: isso faz com que ele se retraia e erga a língua. Ele deve responder abrindo bem a boca e buscando pelo mamilo. A ideia é colocar o mamilo inteiro e um pouco do peito dentro da boca dele, para que ele possa segurá-lo com a sucção contra o palato, ou céu da boca. Isso levará quase toda a aréola, a parte pigmentada em volta do mamilo, para dentro da boca dele; deve ficar apenas uma borda para fora, acima da boca dele, e nenhuma para baixo. Isso imobiliza o peito e permite que ele esprema o leite dos dutos que ficam embaixo da aréola. Ele consegue isso da seguinte forma:

- pela ação do maxilar na aréola, permitindo que você veja os músculos que ficam em volta da orelha dele se mexerem, enquanto ele mama. Se ele estiver chupando com o queixo, significa que ele não pegou o peito direito;
- por uma ação rotativa da língua, que começa na frente da boca e passa para o fundo; portanto, ele tira leite do peito como um rolo de pintar.

Uma vez que o fluxo do leite tenha começado e seja contínuo, descendo pela garganta, o leite será extraído do peito.

As duas ações fazem com que o colostro ou o leite seja tirado do peito para dentro da garganta, para ser engolido. Usualmente, o processo é auxiliado pelo reflexo de "relaxamento".

O mamilo só é usado para imobilizar o peito na boca. Não há por que esfregar a pele e não há razão para desenvolver sensibilidade, se ele estiver pegando corretamente. Depois da mamada, verifique o mamilo: não deve haver nenhuma mudança na sua forma. Se ele parecer esmagado ou com uma forma diferente, provavelmente você precisa melhorar o ajuste do seu bebê ao peito.

Posicionando o bebê

- Certifique-se de que ambos estejam relaxados e confortáveis.
- Deixe que o peito caia na boca do bebê, e então leve o bebê até o peito; não coloque o peito na boca do bebê.

- A cabeça do bebê não deve estar flexionada nem esticada: para entender melhor, tente engolir com o pescoço esticado ou dobrado!
- Se você precisa segurar o peito para evitar que ele obstrua o nariz do bebê, mude de posição para que o mamilo aponte mais em direção ao céu da boca dele.
- O corpo do bebê deve estar encostado ao seu, para que vocês fiquem peito com peito.
- Apoiar o bebê no seu braço, com o corpo dele de frente para o seu, ou debaixo do seu braço, são as posições comuns. Ambos deitados de lado, também.

Posicionando o bebê para a alimentação

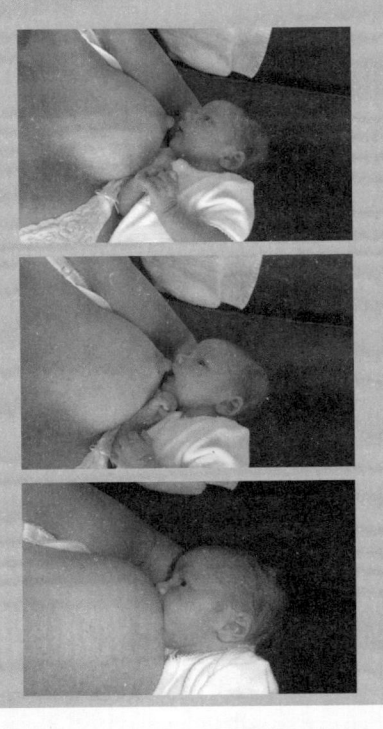

1. O bebê olhando para a mãe, a boca se abrindo conforme o peito se aproxima. Nota: não ponha a mão na nuca do bebê.

2. Alinhando o mamilo com o nariz. Com uma leve extensão da cabeça, com o queixo para cima, o queixo vem em direção ao peito. É o começo de uma boa abertura.

3. Se o peito for grande, aperte para guiar o mamilo para a boca. Os dedos devem ficar no mesmo plano que os lábios do bebê.

4. O bebê pegou. Boca livre e aberta – boa abertura.

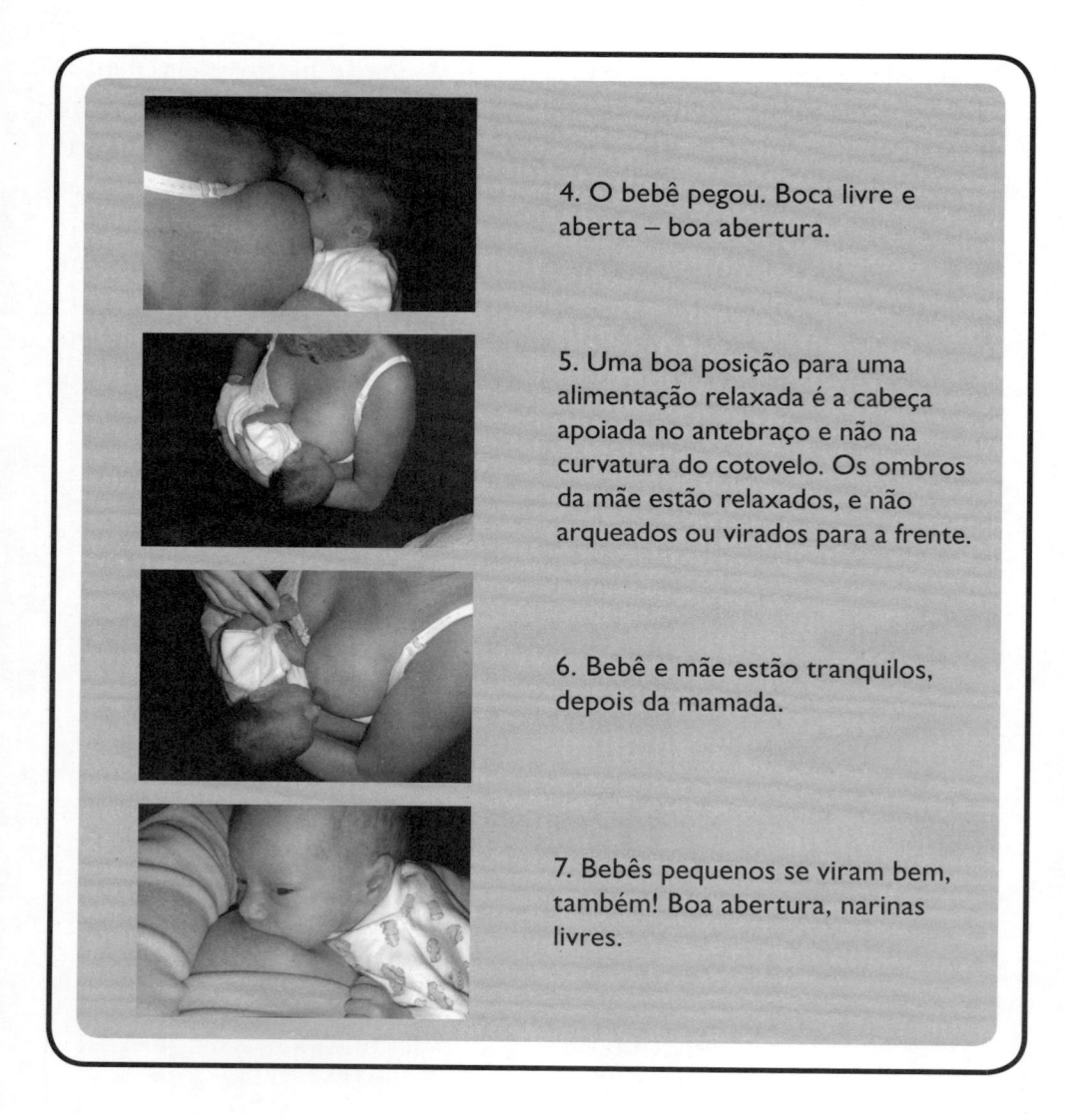

5. Uma boa posição para uma alimentação relaxada é a cabeça apoiada no antebraço e não na curvatura do cotovelo. Os ombros da mãe estão relaxados, e não arqueados ou virados para a frente.

6. Bebê e mãe estão tranquilos, depois da mamada.

7. Bebês pequenos se viram bem, também! Boa abertura, narinas livres.

Quanto tempo deve demorar a amamentação?

Você deve amamentar o seu bebê pelo tempo que ele quiser. Geralmente, um bebê consegue tirar bastante do peito em meia hora. Depois disso, você pode continuar enquanto ele estiver efetivamente sugando, e enquanto vocês dois estiverem aproveitando; provavelmente, ele está "sugando pelo conforto". O ideal é que ele fique no primeiro peito, até que pare de sugar e o solte. Não é preciso cronometrar para que ele pegue os dois peitos igualmente a cada mamada.

Se você estiver preocupada sobre quando tirá-lo, ou sobre o quanto ele está tomando, observe o padrão de ele sugar. "Suga, engole, suga, engole": o fluxo grande, no começo, deverá mudar, gradualmente, para "suga, suga, suga, engole", pequeno fluxo, no final. Hora de trocar de peito ou colocá-lo na cama.

No final da amamentação, o leite é mais rico em gorduras e tem relativamente mais calorias; portanto, o bebê o acha mais satisfatório. Na verdade, parece que é a quantidade de gordura que ele recebe da mamada que acaba com o apetite dele no final, e não a sensação de estômago cheio. É claro que, se ele quiser mais, então você deve oferecer o outro peito, mas se ele não estiver interessado, não se preocupe. Comece pelo outro peito na próxima mamada, para igualar.

COM QUE FREQUÊNCIA O BEBÊ DEVE COMER?

Se nós olharmos os leites de outros mamíferos no reino animal, vamos descobrir que há uma relação entre a quantidade de proteína no leite e o intervalo entre as mamadas. O coelho alimenta o seu bebê uma vez a cada 24 horas; o cervo alimenta a cada oito horas; o cão, a cada quatro horas. Ao contrário do que podem ter dito a você, o leite humano, definitivamente, não é do tipo que se recebe a cada quatro horas. Na verdade, o nosso leite é relativamente diluído, e parece ser do tipo que (prepare-se!) deveria ser dado continuamente.

Se observarmos mães que amamentam em sociedades de caçadores/coletores, veremos que elas alimentam seus bebês a cada quinze minutos. Mesmo à noite, os bebês dormem com as mães e grudam e soltam do peito, enquanto a mãe dorme.

Provavelmente, isso representa o padrão humano "normal". Certamente é o padrão que permite que a função contraceptiva da amamentação funcione com mais eficiência. Não porque o bebê está no meio do caminho, mas pelos hormônios secretados pela glândula pituitária da mãe, em resposta à sugação frequente no seu peito!

Hoje em dia, os nossos bebês crescem sendo mais razoáveis nas suas exigências, puramente como um fenômeno cultural da nossa sociedade. Eles fazem o que se espera deles. Entretanto, alguns demoram mais para espaçar as mamadas que outros. É absolutamente por acaso que o seu bebê mama com frequência ou é regulado como um relógio.

Lembre-se, entretanto, que o peito se enche em cerca de 30 minutos e um estômago cheio de bebê demora cerca de 50 minutos para esvaziar, portanto ele não está sendo insensato se quiser se alimentar a cada hora. Geralmente, não demora muito para os intervalos se tornarem maiores.

Deixe o seu bebê comandar a amamentação – ele sabe o jeito que quer. Tentar manipular seus horários de alimentação pode ser pior.

O REFLEXO DE LIBERAÇÃO

Os dutos que coletam o leite produzido nos alvéolos de leite ficam bem dentro do seio. Eles possuem fibras musculares nas paredes, e sob a ação do hormônio ocitocina, o mesmo hormônio que contrai o seu útero, fazem contrair e ejetar o leite. Isso explica as dores que você tem no útero, especialmente quando alimenta o seu bebê, e por que alimentar o bebê logo após o parto é tão bom para contrair o útero.

Nos primeiros dias, a liberação não é sentida, mas pode ser detectada por uma mudança no ritmo de sugar/engolir do bebê, conforme uma quantidade de leite entra na boquinha dele. Isso pode produzir uma sede repentina na mãe, portanto, ter um copo de água à mão durante a amamentação é um bom hábito.

Depois de algumas semanas, quando o peito não está tão cheio, a mãe pode sentir, com frequência, esse reflexo como uma formigação, no começo e, às vezes, durante a amamentação. Outras vezes, um choro de fome do seu bebê é o suficiente para iniciar o reflexo de liberação.

SETE PASSOS PARA UMA AMAMENTAÇÃO DE SUCESSO

1. Comece o mais cedo possível: de preferência nas primeiras duas horas após o parto, mas certamente dentro das primeiras doze horas.
2. Certifique-se de que você tem uma pessoa experiente que ensine como ajustar adequadamente o bebê, desde o começo.
3. Exija alimentar o bebê desde o começo. Dê a ele acesso ilimitado.
4. Alimente-o pelo tempo que ele quiser a cada mamada, dentro do razoável. Se a mamada durar mais que 30 minutos, alguns dias depois que o leite desceu, talvez ele não esteja pegando bem ou esteja mal posicionado e, portanto, com dificuldade para engolir.
5. Se os mamilos ficarem feridos, significa que alguma coisa precisa ser ajustada: ou é o ajuste do bebê no peito ou é a posição dele. Não é por sugar por muito tempo ou vigorosamente.
6. Não dispense as mamadas noturnas. É provável que elas aumentem mais a quantidade de leite do que as mamadas do dia. A amamentação também é tranquilizante, e pode ajudá-la a dormir melhor.
7. Lave os mamilos da maneira que você fazia antes do bebê. O mamilo produz substâncias que atraem o seu bebê e ajudam-no a pegar o peito; portanto, não use cremes, loções, poções ou aquele unguento mágico que a senhora da esquina disse que iria fazer o seu peito parar de doer. Troque a proteção para o seio com frequência e tente passar um pouco de tempo com os seios descobertos. Estudos mostram que a melhor loção para os seios, doloridos ou não, é absolutamente nada.

Deixe o seu bebê guiar a amamentação – ele sabe o que quer. Tentar manipular o horário das mamadas pode ser pior.

Problemas

É raro encontrar uma mãe que não tenha problemas com relação à amamentação. O importante é continuar tentando.

Sem leite suficiente

Quanto mais o peito é esvaziado e quanto mais ele for sugado, mais leite será produzido. Existe uma substância no leite que age como inibidor de produção; então, se sobrou muito leite no peito depois da amamentação, não será produzido muito para a próxima vez. Inversamente, se o peito for esvaziado com eficiência, então ele entrará em produção máxima. É um mecanismo perfeito. Portanto, a melhor maneira de aumentar a produção de leite é esvaziar o peito com frequência e eficiência. Apesar disso, o peito nunca está completamente vazio, mesmo depois da mamada, um pouco de leite sempre pode ser tirado.

Existem algumas substâncias que você pode tomar para aumentar o fluxo do leite. Esses medicamentos só podem ser indicados pelo seu médico. Fora isso, tudo o que você ouviu é mito. Nunca se provou nada que faça diferença: cerveja preta, levedo de cerveja, ervas (com exceção de grandes quantidades de feno...) nem muitos líquidos.

Mais tarde, você poderá perceber que o seu bebê tem períodos em que começa a se alimentar com mais frequência. Esses períodos não são surtos de crescimento; são surtos de indução de leite.

Lembre-se, existem três coisas que aumentam a quantidade de leite:

- esvaziamento frequente e completo do peito – é o fator mais importante;
- sugar mais;
- mais descanso para a mãe.

E é isso.

Leite demais

Quando o leite desce, é muito comum os peitos ficarem ingurgitados: é o que pode ser chamado de "síndrome da bola". Por sorte, só dura de 12 a 24 horas, e pode ser evitada se o bebê ficar junto com você no quarto, tendo mamadas por diversas vezes. Pode ser amenizado com compressas frias e pela extração delicada de um pouco do leite para aliviar a tensão do peito. Quando o peito está muito tenso, é comum o bebê não conseguir pegar apropriadamente.

> *Três coisas aumentam o fornecimento de leite: esvaziar frequente e completamente o peito; sugar com mais potência; e mais descanso para a mãe. E pronto.*

Durante todo o tempo em que você estiver amamentando, use um sutiã com boa sustentação: tiras grossas e a parte central grande o suficiente para conter o seio inteiro. Evite tiras apertadas no alto do seio, porque causa obstrução dos dutos e causa mastites.

Mamilos doloridos e escoriados

Os mamilos de muitas mães ficam machucados, nos primeiros dias. Felizmente, eles possuem uma vascularização muito alta e se recuperam rapidamente. Portanto, se o ajuste no peito está correto (desculpe por falar tanto disso, mas você provavelmente está entendendo que é crucial!), eles devem ficar livres de dores dentro de 24 horas. Se você tiver uma rachadura ou ferimentos no mamilo, é uma boa ideia você, cuidadosamente, tirar o excesso de leite desse peito e só amamentar o bebê com o outro. Depois de 24 horas, comece a dar o peito novamente. Somente em casos extremos deve-se tirar o leite mecanicamente e alimentar o bebê com leite materno, mas em uma mamadeira.

As coisas não estão indo bem

Às vezes, no começo, a amamentação parece que dá tantos problemas e é tão dolorosa que não vale a pena. A dor do peito e do mamilo podem ser intensas. Mas é natural, pois é um órgão muito sensível, mesmo quando não está rachado e não é mastigado a cada duas horas. Apesar disso, aqui vai um pequeno conselho: nunca desista de dar de mamar às 2 da manhã.

No meio da noite, se as coisas não estão indo bem há alguns dias, e você está cansada e com vontade de chorar, e o seu bebê está com fome e gritando, e você teme cada vez que tem que dar de mamar por causa da dor intensa nos seus seios, parece mais fácil parar com tudo e começar a dar leite artificial. Mas, de manhã, as coisas são diferentes, e você pode se arrepender da sua decisão... mas então, você não quer retroceder... e a sua mãe está tão feliz em poder participar da alimentação do bebê... pronto, você está encurralada!

Aguente até de manhã e tome uma decisão com a cabeça fria, à luz do dia. Mesmo que seja a mesma decisão, você vai estar mais segura do que decidiu.

A propósito, você pode retroceder. Se mudar de ideia, você ainda pode recuperar o seu leite, mesmo alguns dias após ter desistido.

Intolerância a lactose

A intolerância a lactose em um bebê que não tenha sofrido um episódio de gastroenterite é muito incomum. É normal que um bebê que só se alimenta de leite materno elimine um pouco de lactose nas fezes. Esses bebês tendem a produzir uma espuma nas fezes, com uma certa frequência. Em geral, passa com o tempo e não é uma indicação para parar com a amamentação.

Se o seu bebê está mamando poucas vezes por dia, digamos quatro, você pode tentar amamentá-lo com mais frequência. Isso permite que o intestino receba a lactose gradualmente, o que pode melhorar a sua absorção.

Se o seu bebê mama a toda hora, ele pode estar tomando só o primeiro leite do peito. Essa parte do leite contém só metade da gordura do leite que vem depois, mas contém a mesma quantidade de lactose, e é a gordura que dá a ele a sensação de estar satisfeito, o que acaba com o apetite, no fim da mamada. Consequentemente, apesar de estar com o estômago cheio de leite e o intestino cheio de fezes espumosas, ele pode não estar satisfeito. Tente persuadi-lo a mamar por mais tempo, no mesmo peito: isso pode fazer com que ele receba o leite rico em gordura e, assim, tome um volume de leite menor.

Arrotar

Os bebês arrotam melhor do que nós, adultos. A válvula entre o estômago e o esôfago é extremamente ineficiente nos recém-nascidos, mas desenvolve melhor o seu tônus, com o passar dos meses. Muitos bebês não conseguem segurar direito o que mamam, e é muito provável que regurgitem parte disso, durante ou após a mamada. É mais provável que aconteça se o bebê estiver com a cabeça baixa.

Portanto, a ideia de que o bebê pode prender bolhas de ar atrás da válvula, uma bolha de ar que precisa, ritualmente, ser liberada com tapinhas nas costas, não faz muito sentido.

Se os bebês não arrotam depois de terem mamado, então há três possibilidades:

- o bebê não engoliu ar e não há nada para arrotar; ou
- ele irá arrotar sozinho mais tarde; ou
- ele irá absorver o gás.

Nenhuma dessas possibilidades é para preocupar. Bolhas de ar no intestino não causam dor ou desconforto, distensão ou espasmo. Depois da amamentação, tudo o que você precisa fazer é segurar o bebê e abraçá-lo: se ele quiser arrotar, ele arrotará. Você consegue imaginar, depois de uma refeição satisfatória, deliciosa, tranquilizante, ter alguém balançando você no ombro, antes do cafezinho? É melhor deixar o bebê começar a dormir e colocá-lo gentilmente no berço.

Vômitos

> É uma pena usar a expressão "ele está doente" para o vômito!
> A maioria dos bebês vomita com frequência, e só raramente é um sinal de doença.

Como dissemos acima, a válvula entre o esôfago e o estômago é extremamente fraca nos recém-nascidos. Se estiver aberta, quando o estômago se contrair para empurrar o leite para o intestino, o leite será empurrado para cima e para fora. O vômito pode ser até projetado. Estudos de raio-X, em bebês recém-nascidos, mostram que isso é uma possibilidade na maioria dos bebês, mas que melhora rapidamente.

Se o vômito acontecer com frequência suficiente para preocupar ou incomodar:

- segure-o depois de mamar; ou
- coloque-o no berço com a cabeça para cima. Não se preocupe, ele não irá se engasgar. Levante a cabeça dele para que fique, de preferência, com um ângulo de 30 graus.

Geralmente, depois de vomitar, o bebê precisará logo mamar de novo.

Dois ou mais

Eu sei que temos dois seios, portanto, fomos projetados para alimentar dois, mas pode ser um problema. Nessas circunstâncias, você precisa ser um pouco mais prática. À noite, se um deles acordar com fome, acorde o outro bebê para alimentar ambos, até mesmo juntos, se você já tiver dominado a técnica de colocar um em cada peito, ou um logo depois do outro.

Durante o dia, ainda vale a pena esperar que peçam. Geralmente os seus bebês têm necessidades bem diferentes, e tentar fazer com que os dois se encaixem no mesmo padrão não funciona muito bem.

Muitas mães conseguem alimentar os dois bebês inteiramente só com o peito. Entretanto, quando você estiver realmente cansada (é muito leite para produzir) fique de olho no ganho de peso dos bebês e consiga o máximo de ajuda e de sono que puder, a qualquer hora, em qualquer lugar.

Exceto pela técnica do ajuste e do posicionamento, o seu bebê precisa de pouco supervisionamento, com relação à alimentação. A natureza não seria tão estúpida para organizar isso de maneira que você precisasse de três mãos, um cronômetro, balança eletrônica e tubos de cremes para o mamilo, para alimentar com sucesso o seu bebê.

A frase que melhor descreve o processo ideal é **amamentação guiada pelo bebê**. Os bebês irão consumir a quantidade certa de calorias se lhes for oferecido o peito; normalmente, só um é necessário nas primeiras semanas, e é permitido que decidam quando parar e quando trocar de peito.

> As nossas filhas gêmeas idênticas estão agora com um ano de idade. Aprendemos que elas são alegria em dobro, risadas em dobro, abraços em dobro e, definitivamente, para nós, elas não são "problemas em dobro". Desde que nos aventuramos nas primeiras semanas com as nossas meninas, percebemos rapidamente que a vida com gêmeos ia ser bem diferente, em vários aspectos. Não haveria mais viagens rápidas para lugar nenhum, não só pelas razões óbvias, que são duas, mas porque as pessoas em geral prestam muita atenção em gêmeos. Todos querem vê-las, tocá-las e fazer perguntas sobre elas; a fascinação pode ser, no começo, muito grande. Não demorou muito para nós percebermos que é um interesse verdadeiro, e que agora será parte das nossas vidas. Portanto, os pais

que estiverem esperando gêmeos, preparem-se para demorar um pouco mais quando for fazer compras, pagar contas ou até mesmo quando for dar um passeio. Lembrem-se de quanta sorte vocês têm de fazer parte desse grupo especial.

DROGAS NA AMAMENTAÇÃO

A maioria das mães sob tratamento fica muito preocupada que a droga que elas estão tomando passe para o bebê, pela amamentação. Felizmente, são poucas as drogas que vão para o leite materno, em quantidades que tenham algum efeito no bebê.

Todas as citadas a seguir são inofensivas:

- antibióticos mais comuns;
- tranquilizantes;
- anti-histamínicos;
- analgésicos;
- antidepressivos;
- laxantes;
- anti-hipertensivos;
- drogas que agem no coração.

Entretanto, evite a aspirina.

Se você está tomando anticonvulsivos, você ainda pode amamentar, mas o seu médico precisa se certificar de que a dosagem é a certa para você e o bebê.

Porém, a lista não estaria completa se nós deixássemos de lado o álcool, que não tem problema, desde que você não tome uma overdose. O álcool passa rapidamente para o leite e sai rapidamente também, deixando o leite limpo 2 ou 3 horas após o drinque; portanto, espere 2 horas, antes de amamentar. A nicotina do cigarro que você fuma não é nada boa, e vai para o leite materno. Fumar está ligado ao aumento dos incidentes de morte no berço, leucemia na infância, infecções do trato respiratório, nas crianças abaixo de cinco anos, e reduz os quocientes de inteligência, em filhos de fumantes. Portanto, faça um grande favor ao seu novo filho e a si mesma e pare de fumar. Se você não conseguir, amamente mesmo assim, pois isso ainda é mais saudável para ele do que a combinação de leite artificial e mãe fumante.

A maconha é absorvida pelas reservas de gordura tanto suas quanto do bebê, durando por anos; portanto, não é uma boa ideia. Cocaína, anfetaminas e *ecstasy* também podem permanecer no corpo do bebê por semanas, portanto não devem ser usadas durante a amamentação.

Se está tomando algum medicamento, você deve, é claro, informar o seu médico de que está amamentando, só para garantir.

Cuidado!

Alguns medicamentos, como certos hormônios sexuais, cortisonas, remédios para reumatismo, diabetes, enxaqueca, e também heroína, cocaína, anfetamina e maconha podem ser secretados no leite em quantidades que afetam os bebês. Também, se você precisar fazer algum exame de raio-X especial, informe o seu médico que você está amamentando.

> *O processo ideal é "amamentação guiada pelo bebê". Os bebês irão consumir a quantidade certa de calorias se lhes for permitido decidir quando parar e quando trocar de peito.*

Mamadeira

Os leites artificiais disponíveis hoje contêm uma quantidade de nutrientes similar à do leite materno, e os bebês que recebem o leite artificial irão crescer e se desenvolver da mesma forma que os bebês que recebem leite materno. São leites derivados de leite de vaca ou que usam proteína vegetal da soja. Todos os leites artificiais disponíveis hoje em dia, e são muitos, contêm quantidades parecidas de proteína, carboidrato, gordura e sais minerais, como as do leite materno. Muitos ainda contêm vitaminas extras e ferro, em dosagens recomendadas. Ao escolher o leite, pegue um que seja mais fácil e fique com ele. Não ouça as histórias das outras mães ou você estará comprando e trocando o leite toda vez que o bebê vomitar. A maioria dos leites artificiais não faz o bebê vomitar, mas todos eles têm um gosto horrível para os adultos. A maioria deles está disponível na forma de líquido concentrado ou em pó. A forma líquida é mais fácil de preparar, mas também é mais cara.

► Preparando o leite artificial

Quando você usa o leite artificial, é muito importante manter as mãos limpas e esterilizar a mamadeira e o bico. Faça um pouco mais do que o que você calcula que o bebê precisa. Ferva a água para o leite por dez minutos e espere até que fique morna, antes de colocá-la na mamadeira esterilizada e adicionar o leite em pó ou líquido. Nunca coloque mais leite do que o recomendado na lata: a concentração exata é crucial.

► Dar a mamadeira

Quando você for dar a mamadeira para o bebê, faça do mesmo jeito que você faria se fosse amamentar. Dê a ele toda a atenção e, se você quiser, faça com que ele tenha contato com a sua pele. Ele irá gostar se você tirar a blusa e abraçá-lo durante a alimentação, e provavelmente você também gostará. Você não precisa aquecer o leite, pois o bebê tomará mesmo que esteja frio, mas isso depende de você.

O quanto você o alimenta depende dele. Do mesmo jeito que no peito, é ele que deve controlar a alimentação, e não o relógio. Se sobrou um pouco na mamadeira e ele não está mais tomando, é porque já tomou o suficiente.

Na **média** (note a ênfase), um bebê alimentado com leite artificial toma cerca de 170 ml por quilo do seu peso corporal, por dia, mas isso em um bebê normal, em um dia comum. Não insista em quantidades exatas para cada alimentação. Como nós, às vezes ele vai querer mais e, às vezes, vai querer menos. Os que recebem leite materno nunca dizem para as mães quanto estão tomando!

Quando ele acabar, enxágue a mamadeira e o bico imediatamente, para remover o leite antes que seque. Sempre jogue fora o leite que sobrou na mamadeira, ou no fim da mamada, ou no fim de 24 horas.

Tenha cuidado, se você estiver usando o microondas para aquecer o leite ou para descongelar o leite materno congelado. O microondas realmente aquece o leite, mas a mamadeira continua fria. Sempre cheque a temperatura do leite espirrando um pouco na parte interna do seu pulso.

> Escolhi dar a mamadeira para a minha terceira filha, Kaycee. Apesar de estar funcionando bem para ela, estou achando que a hora da alimentação não é tão legal, a experiência íntima é menor do que na amamentação. Para compensar, eu nos dou um tempo extra de contato, um tempo especial fazendo carinho, abraçando, falando e estudando as expressões faciais. Durante esse tempo, nós duas amamos compartilhar olhares, o cheiro e o toque. É extremamente importante para mim não perder essa experiência maravilhosa, porque cria uma ligação que dá, a nós duas, conforto e prazer.

Se você tem a intenção de amamentar e dar a mamadeira, quando voltar a trabalhar, ou começar a tirar o bebê do peito gradualmente, ou tentar temporariamente aumentar o seu fornecimento de leite, por exemplo, você precisa estar muito bem organizada. Fazer os dois consome bastante tempo.

O leite artificial enfraquece os anticorpos do leite materno, que protegem o bebê contra gastroenterites bacterianas, mas existem vantagens em ter, mesmo que seja em pequena quantidade, leite materno na mamadeira: faz com que o resto do leite artificial seja mais bem absorvido, e mesmo em pequenas quantidades, os fatores de crescimento e outras substâncias do leite materno são benéficas. Portanto, organize-se e faça os dois, se for apropriado.

Viajar

Lembre-se, se você está em um país em desenvolvimento, tenha muito cuidado com o fornecimento de água, e certifique-se de que uma geladeira de confiança esteja disponível. Use água fervida, se você não tiver confiança na água local. O seu bebê é vulnerável a gastroenterites, se ele toma mamadeira. Nessas circunstâncias, vale a pena se esforçar para amamentar.

Parte III - A evolução e os bebês

Capítulo 8

Como a evolução modelou nossos bebês

O segredo para compreender nossos bebês remonta aos nebulosos tempos da pré-história. Em termos de evolução, eles pouco mudaram desde a época em que surgimos como uma espécie à parte. O que fez com que eles se tornassem o que são? Em que tipo de sociedade eles esperam nascer? Quais são suas necessidades essenciais? Ao avaliar nossas origens e nossa biologia básica, podemos interpretar a linguagem de nossos bebês e decifrar suas necessidades muito melhor do que por meio da reciclagem da bagagem desgastada que a tarefa de cuidar deles acumulou ao longo dos milênios.

Não passamos de macacos inteligentes

Antes de mais nada, todos nós fazemos parte da família dos primatas. Temos muito em comum com os outros grandes símios do planeta, mas à medida que a história de nossa evolução se desenrola, podemos constatar que nossas diferenças são tão grandes quanto as semelhanças, e as diferenças têm uma importância enorme quando se trata da maneira como cuidamos de nossos bebês.

Vamos retroceder no tempo, a uma época muito anterior aos registros escritos, às origens da humanidade. Talvez você se surpreenda ao saber que as características atuais de nossos bebês foram influenciadas pelo clima na Etiópia há cerca de quatro milhões de anos. Naquela época, os macacos pré-humanos, dos quais nossa espécie descende, habitavam as árvores e raramente desciam ao solo. Foi então que o clima se tornou mais quente e seco. A abóbada superior das árvores desapareceu gradativamente e, sem essa cobertura para protegê-los e alimentá-los, os macacos tiveram de procurar alimento no chão. Depois que passaram a habitar o solo, não demorou para que se tornassem bípedes, visto que andar eretos sobre as pernas traseiras apresentava uma série de vantagens.

Duas pernas, não quatro

Para começar, andar sobre duas pernas era muito mais eficiente em termos de energia para se ir de um lugar a outro, além de proporcionar uma visão melhor dos arredores e, portanto, de possíveis ataques. Além disso, andar ereto deixava os braços livres para manipular objetos: eles podiam fabricar armas, instrumentos e roupas, e carregar alimentos de onde eram encontrados para onde moravam. A capacidade de carregar os alimentos representava a possibilidade de, então, ultrapassar os locais que forneciam comida; eles saíram da África e, à medida que evoluíram, colonizaram o mundo.

Havia, contudo, um aspecto altamente negativo. Todo o peso do corpo era agora sustentado inteiramente pelas juntas dos quadris e, consequentemente, elas precisavam ser fortalecidas. Grandes ossos de apoio se desenvolveram ao redor das juntas para fortalecer e sustentar os quadris, mas eles se apossaram da cavidade pélvica e reduziram o tamanho do canal de parto. Como forma de compensação, a pélvis feminina ficou mais ampla do que a masculina, mas havia um limite para tal alargamento: se fosse ampla demais, o passo das fêmeas ficaria bamboleante e, numa sociedade nômade, elas poderiam não ser capazes de acompanhar os machos. Além disso, a pélvis foi virada para trás a fim de distribuir o peso com mais eficiência, de modo que o canal de parto, além de se estreitar, também ficou com uma forma de S.

Na época, isso não tinha muito significado, já que os cérebros dos pré-humanos eram relativamente pequenos: aproximadamente do tamanho de um ovo de galinha. Mais tarde, porém, isso passou a ter uma grande importância.

Surge o homo sapiens

Há cerca de cem a trezentos mil anos surgiu uma nova e fabulosamente bem-sucedida espécie de grande símio que apresentava uma enorme vantagem: o *homo sapiens* tinha um cérebro grande e uma inteligência condizente, que lhe permitiria, e a seus descendentes, dominar o ambiente. Isso, contudo, teve um preço: pela primeira vez em todos os tempos, havia uma espécie que apresentava uma alta incidência de dificuldades no parto. O bebê, com seu cérebro grande, tinha que vir ao mundo pela mesma pélvis estreita e, quanto mais inteligente ele se tornava, mais difícil ficava empurrá-lo através do anel de ossos, fixo e inflexível. A natureza viu-se diante de um enorme dilema: como contorná-lo?

A solução era óbvia, e nós ainda estamos pagando por ela: a única forma de conseguir que esses bebês saíssem antes que suas cabeças se tornassem grandes demais para se encaixarem no estreito canal de parto era tê-los num estágio anterior da gravidez, quando ainda eram prematuros. Nesse processo, a natureza se livrou do máximo possível de funções instintivas antes de atirar os bebês nos braços de seus pais.

Nossos bebês prematuros

Esse é um problema essencialmente nosso: temos os bebês mais prematuros de todos os grandes primatas. No que se refere aos chipanzés, 45% de seu cérebro já está formado na época do parto; nós, pobres humanos, atingimos apenas 25%. E como a Mãe Natureza pretendeu compensar essa imaturidade e falta de capacidade instintiva? Adivinhou! Ela jogou o problema em cima de vocês, pais!

Uma longa infância

Além disso, nossos bebês, mais do que quaisquer outros filhotes de mamíferos, exigem cuidados intensos, prolongados e complexos por parte dos pais, além de supervisão durante anos. Detesto lhe dizer isso, mas se você acha que vai escapar com menos de 20 ou 30 anos de total dependência, pense melhor! E, mesmo então, eles não vão embora, a menos que você se mude para um apartamento com um só dormitório.

Como se pode imaginar, essa pesada responsabilidade de criar os filhos tem exercido efeitos significativos sobre a espécie: a sociedade humana emergente teve de lidar com bebês que precisavam de proteção, cuidados e treinamento durante muitos e muitos anos. Aspectos culturais e mesmo biológicos foram subjugados pela necessidade de proporcionar uma família estável na qual as crianças desamparadas pudessem ser criadas com sucesso.

O DESENVOLVIMENTO DA SOCIEDADE HUMANA

Na maioria das comunidades símias, machos dominantes controlam quase todas as fêmeas do grupo e lidam pouco com a prole. Eles passam a maior parte do tempo mantendo sua base de poder e conservando jovens pretendentes à distância. As fêmeas realizam todo o trabalho de criação dos bebês, o macho apenas oferece proteção física, e somente se ele tiver certeza de que os filhotes são dele.

Com o aumento das necessidades de seus bebês imaturos e suas longas infâncias, a sociedade humana emergente se viu sendo levada na direção de um tipo de comunidade diferente da dos macacos: a evolução passou a caminhar para a formação de casais, um sistema de pares humanos que formavam um ambiente carinhoso e seguro para os filhos. E atingiu esse objetivo por meio do uso do sexo.

Usando o sexo para selecionar a sociedade

Macacos machos costumam demonstrar pouco interesse nas fêmeas, a menos que elas estejam sexualmente receptivas, o que ocorre na época de fertilidade. Consequentemente, a evolução começou a selecionar fêmeas que tivessem um período mais longo de receptividade sexual e chegou mesmo a ampliar esse prazo para além de seu período fértil. O sexo começou a ser usado para acentuar o elo entre os pares e não apenas para produzir bebês.

Essa seleção foi de tal modo bem-sucedida para formar relações seguras e duradouras entre machos e fêmeas que a fêmea humana gradativamente se tornou sexualmente receptiva em tempo integral. Assim, o sistema monárquico do macho caiu por terra e, a partir de então, qualquer macho poderia ter um par. Quando o macho ficou mais seguro de que quaisquer bebês a que seu par dava à luz eram seus, ele investiu tempo neles e passou a caçar exclusivamente para sua família.

Sexo em troca de carne

E ele precisava fazer isso! Um dos efeitos da contínua receptividade sexual na fêmea humana foi o desenvolvimento de períodos menstruais mais intensos do que os de outros mamíferos. Outros animais lambem-se e retêm quantidades valiosas de ferro no sangue; por serem bípedes, era impossível aos seres humanos fazer isso, de modo que surgiu o risco da deficiência de ferro. Foi fechado um acordo entre seres humanos, machos e fêmeas: sexo em troca de carne. O macho caçador tinha de trazer a carne, rica em ferro, para casa, a fim de conservar a saúde de seu par e de seus filhos.

> *O sexo começou a ser usado para acentuar o elo entre os pares e não apenas para produzir bebês.*

Uma comunidade de caçadores-coletores

Na nova sociedade humana da Era Plistocena, havia pequenos grupos de caçadores-coletores nômades, formados por nove a quatorze pessoas: duas ou três mulheres férteis, duas mulheres mais velhas, algumas crianças, um ou dois bebês e os homens. O grupo vagueava pela região e conseguia comida quando possível; as tarefas eram divididas, e partilhar o alimento passou a ser norma. Os machos desenvolveram qualidades de caçadores, para que pudessem obter o alimento rico em ferro e proteína tão necessário às mulheres.

Mulheres: a espinha dorsal da sociedade

As mulheres colhiam grande parte da alimentação básica para o grupo. A maior parte era colhida pelas mulheres em período pós-menopausa e a menor, por adolescentes (viram, mudou pouco!). As mulheres desenvolveram a capacidade de encontrar alimento, de dividir o trabalho de criação dos filhos e de cuidar umas das outras e da comunidade. Elas se transformaram em pessoas que cuidavam dos outros, realizavam múltiplas tarefas e formavam relacionamentos.

Além dos cuidados prolongados de que o bebê humano necessitava, as fêmeas humanas também precisavam de cuidados especiais. No período após seus difíceis partos, e isso também é uma exclusividade dos humanos, entre todos os mamíferos, as mulheres descobriram que era difícil cuidar de si mesmas e, por isso, precisavam da ajuda de terceiros para conseguir alimento e proteção.

A ajuda de "alloparents" (vários pais)

Como já não havia mais um período fértil, os bebês nasciam em qualquer época do ano, e não todos ao mesmo tempo, como ocorre com outras espécies. Isso deu oportunidade ao grupo de concentrar seus esforços em apenas um ou dois bebês de cada vez e serviu de apoio à mãe. Havia mulheres não sobrecarregadas (chamadas de *alloparents* pelos antropólogos) que podiam proporcionar uma pausa às mães na tarefa contínua de cuidar do bebê – o que era ótimo, também, pois os bebês tinham de ser carregados o dia todo e precisavam ser alimentados com frequência para atender suas necessidades de crescimento. Assim, cuidar dos filhos era uma realidade já naquela época.

Significativamente, porém, tratava-se de "cuidar das crianças por parentesco", por pessoas que tinham um investimento pessoal na criança e em sua família. Tal "divisão de trabalho" e cooperação desenvolveu o espírito comunitário que ajudou a formar uma sociedade com estabilidade suficiente para sustentar os bebês em lento desenvolvimento.

As necessidades do bebê: naquela época como hoje

Assim sendo, o bebê humano, indefeso, prematuro e vulnerável, nasce em uma noite fria, em uma comunidade de caçadores-coletores. Quais são suas necessidades e que sistemas a evolução criou para garantir que elas sejam atendidas? Suas necessidades são claras e imutáveis: alimento, proteção, calor e estímulos sensoriais. Vamos analisar cada uma delas isoladamente e verificar como são atendidas.

Comida e alimentação

Para o bebê humano, a amamentação sempre foi de importância vital para a sobrevivência. Assim como ocorre com o leite dos outros mamíferos, o leite humano tem estrutura única e possui a combinação perfeita de alimento, fatores de crescimento e propriedades anti-infecciosas. Ele é destinado a promover o desenvolvimento de um cérebro muito grande no menor prazo possível, proporcionar muita água ao bebê e oferecer proteção contra infecções vindas do mundo exterior.

➤ *A amamentação dos primatas: estilo humano*

Os antropólogos observaram os hábitos de amamentar os bebês nos grupos de caçadores-coletores que ainda existem e os resultados foram muito reveladores. As mães amamentam seus bebês com muita frequência: durante dois ou três minutos, às vezes a cada meia hora, sempre que a mãe está disponível. Durante o dia, as mulheres colhem o alimento e o bebê fica aos cuidados do grupo, de modo que a amamentação frequente é muitas vezes interrompida; mas durante a noite, o bebê dispõe da atenção exclusiva da mãe. Quando o grupo encontra abrigo e se estabelece, os bebês dormem próximos à mãe, pele contra pele, e se alimentam quase que continuamente. É nesse momento que eles podem se concentrar na amamentação, visto que a mãe não desvia sua atenção e ninguém mais está envolvido em seus cuidados. Portanto, as mamadas ficam mais frequentes à noite do que durante o dia.

Sinto informar que os seres humanos são, por natureza, "alimentadores noturnos": esse fato é confirmado por pesquisas que revelam que as mamadas noturnas produzem maiores níveis do hormônio prolactina que estimula a produção de leite, do que as diurnas. Consequentemente, a mãe pode manter o fluxo do leite somente com as mamadas noturnas; isso fica mais difícil quando se amamenta apenas durante o dia. Portanto, se seu bebê exigir uma mamada noturna, é disso que ele está precisando – além de ajudar a conservar o fluxo do leite. Sinto muito!

O efeito contraceptivo

Além de ser extremamente nutritiva, a amamentação frequente tem um efeito contraceptivo muito importante. O hormônio prolactina também é muito eficiente para impedir a ovulação, contanto que as mamas sejam estimuladas com frequência, vinte e quatro horas por dia. Se o bebê dorme durante períodos mais longos, ele rapidamente passa a ser ineficaz e, definitivamente, não se pode confiar nele. Nas comunidades de caçadores-coletores, ele foi capaz de conservar intervalos de até quatro anos entre os nascimentos, pois os bebês eram amamentados por dois ou três anos.

Estudos realizados sobre essas comunidades também revelaram que, no que concerne a longevidade e tamanho da família, esse intervalo indicava-se como o mais eficiente. Parece que nessas circunstâncias, a mulher que gerava cerca de seis filhos durante a vida reprodutiva acabava produzindo mais crianças sobreviventes do que as que davam à luz a mais ou menos bebês.

◆ *O leite humano*

O que há de tão especial no leite humano e por que os bebês mamam com tanta frequência? Temos algumas pistas quando estudamos a concentração dos componentes do leite humano e os comparamos aos do leite de outros mamíferos do reino animal. Os principais componentes nutricionais do leite são a gordura (um alimento rico em calorias e energia), lactose (um carboidrato especial), proteínas (para a formação de células) e solutos (fosfato, cálcio e sódio, ou seja, sais). Cada componente parece ter uma função especial e sua combinação oferece muitas informações sobre as necessidades específicas do bebê.

◆ **Gordura:** Bebês que necessitam de leite com elevado teor de gordura geralmente são grandes animais nascidos em climas frios. A baleia azul, por exemplo, produz um leite com 50% de gordura; o da foca não fica muito longe disso. A prole desses animais se desenvolve em um ritmo muito acelerado e precisa conservar uma grossa camada de gordura. O bebê baleia mal consegue sugar esse leite espesso e melado: ele é simplesmente injetado em sua boca, como se ele fosse uma aeronave sendo abastecida em pleno ar. O leite do veado possui cerca de 22% de gordura; o do cachorro, aproximadamente 8%. O do ser humano, vindo de partes mais quentes ou temperadas do globo, apresenta uma percentagem semelhante ao da vaca e da cabra, cerca de 4%.

◆ **Lactose:** A lactose é um alimento para o cérebro. Trata-se do carboidrato denso e energético essencial ao desenvolvimento do tecido nervoso. Ela forma glicolipídeos (como o cerebrosídeo), que formam o tecido cerebral e estão presentes em grandes quantidades no cérebro. Quanto maior o cérebro do animal comparado ao peso do corpo e quanto mais cérebro precisa desenvolver, o que vai depender de o animal ter nascido muito imaturo, mais lactose existirá em seu leite. Vacas e ovelhas, animais não muito inteligentes, têm 4%. Os seres humanos se encontram no quadrante superior com 7%: eles têm cérebro grande e bebês imaturos que ainda têm de formar uma grande quantidade de tecido nervoso. É interessante notar que as focas não têm nenhuma lactose, não porque seu cérebro é pequeno, já que são animais bastante inteligentes, mas porque já têm o cérebro praticamente formado antes do nascimento.

◆ **Proteína:** A quantidade de proteína no leite nos diz muito sobre o animal. Quanto maior o nível de proteína no leite, mais curta é a gestação, mais acelerado é o ritmo de crescimento e mais curta é a vida do animal. Além disso, quanto mais elevado seu nível, menor é a frequência das mamadas. Por exemplo, o coelho tem até 13% de proteína no leite: sua gestação é curta (28 dias), os filhotes dobram de peso em seis dias e vivem cerca de 5 anos; ele se alimenta apenas uma vez ao dia. As renas têm 10% de proteína no leite e se alimentam a cada oito horas; os cães têm 7% e alimentam os filhotes a cada quatro horas. O leite humano contém somente 1-2% de proteína. Está claro que os seres humanos pertencem ao grupo animal chamado de "espécie de contato contínuo", isto é, seus bebês se alimentam quase que continuamente.

◆ **Carga de solutos (sais):** Outro aspecto interessante do leite humano é sua "carga de solutos" extremamente baixa, isto é, a pequena quantidade de cálcio, fosfato e sódio (sal) que contém. A quantidade de sais no leite geralmente se compara à de proteína. As substâncias químicas que sobram de todos esses solutos precisam ser excretadas pelos rins ainda imaturos do bebê; esse processo elimina e desperdiça água do corpo. Dispor de um tipo de leite com baixa carga de solutos/proteínas também ajuda o bebê a sobreviver em um país quente e seco. Grande parte da água pode ser usada na transpiração e para manter o corpo frio por meio da evaporação, em vez de desperdiçá-la na excreção das sobras de substâncias químicas pelos rins. É fácil para tais bebês se conservarem hidratados quando ficam juntos da mãe, mamando a maior parte do tempo.

◆ **Líquidos:** Precisamos oferecer a nossos bebês cerca de 170 mililitros por quilo do peso dele por dia se quisermos que recebam alimento suficiente para crescer de modo adequado. Na verdade, eles precisam apenas de 100-120 mililitros por quilo de peso por dia para se manterem hidratados em condições normais. Portanto, quando amamentamos, estamos dando a nossos bebês quase o dobro do líquido de que eles necessitam. Não é de se surpreender que eles molhem tantas fraldas! E não é de se surpreender que não precisemos dar aos bebês amamentados ao peito nenhuma água extra, mesmo nos climas mais quentes, contanto que eles tenham acesso ilimitado ao seio. Pesquisas realizadas no deserto do Sinai (temperatura ambiente de 43º C) revelaram que os bebês continuam a eliminar grandes quantidades de urina diluída quando são amamentados sempre que querem.

Mamadas a cada quatro horas?

Parece que o leite humano nunca foi concebido para alimentar nossos bebês a cada quatro horas. Esse boato começou porque, se o bebê não está perto da mãe o tempo todo, sentindo seu cheiro e sua presença, ele exigirá ser alimentado com menos frequência. O estômago do bebê pode acomodar cerca de 1/6 de sua necessidade diária de alimento de uma vez. Portanto, se você o amamenta seis vezes ao dia, ou seja, a cada quatro horas, ele receberá alimento suficiente, mas lembre-se, essa é uma opção cultural, não uma exigência biológica.

➤ *Alimento para o cérebro*

Apenas 25% do cérebro do bebê estão formados na época do nascimento. O restante do tecido do cérebro destinado ao raciocínio precisa ser formado nos próximos dezoito meses; se esse prazo é perdido, por exemplo, por causa de fome ou doença grave, o potencial para o completo desenvolvimento do cérebro se perde para sempre. Devido ao crescimento extremamente rápido de seu cérebro, o bebê precisa de uma nutrição quase que contínua; o leite humano foi formulado precisamente para isso, visto que tem elevado teor de carboidratos e baixos teores de gordura e proteína. As gorduras também apresentam um aspecto interessante: o leite materno contém ácidos graxos especiais de cadeia longa inexistentes em outros leites, que são usados pelas células do cérebro para formar importantes componentes do tecido cerebral.

► Outros componentes

O leite também contém outras substâncias cujo objetivo ainda não compreendemos: fatores de crescimento, hormônios e enzimas existem em abundância. A maioria de suas funções é obscura, mas a natureza não costuma desperdiçar, de modo que podemos supor que elas **têm** uma função, mesmo que ainda não tenhamos descoberto qual seja. A "biodisponibilidade" do leite materno também é muito alta, isto é, cada componente é absorvido e usado pelo organismo. É um alimento realmente surpreendente.

O LEITE MATERNO E O FUTURO QI

Em bebês nascidos a termo, é difícil provar a superioridade do leite materno em comparação ao leite em pó no desenvolvimento da inteligência. Recentemente, contudo, pesquisas exaustivas revelaram que existe uma pequena, mas significativa vantagem em relação ao leite materno; essa diferença em QI também parece aumentar ainda mais se a amamentação for prolongada.

Entretanto, se estudarmos os bebês prematuros em nossas unidades de tratamento intensivo, os indícios ficam claros. Há cerca de trinta anos, foi realizada uma pesquisa com bebês prematuros em uma unidade de tratamento intensivo da Inglaterra. Metade dos bebês recebeu leite materno do banco de leite (que tem poucas calorias porque foi armazenado), e a outra metade, leite em pó (não as fórmulas especialmente desenvolvidas para prematuros de que dispomos atualmente); as diferenças em QI, desenvolvimento psicomotor e social posteriores foram óbvias e ficavam mais evidentes quanto menor e mais prematuro era o bebê. Por exemplo, a diferença média de QI em 32 semanas de gestação foi de 8 pontos. Ainda mais interessantes foram os resultados apresentados pelos bebês menores de crescimento restrito (24 semanas de gestação) do sexo masculino: eles chegaram a apresentar até 30 pontos a menos. Essa não é uma diferença sutil; o leite materno é um alimento importante para o cérebro.

Você também pode constatar por que motivo foram desenvolvidas "fórmulas para prematuros", para compensar a diferença entre o leite materno e o em pó em uma era em que o armazenamento do leite materno em bancos de leite perdeu terreno por causa do receio de infecções cruzadas.

> *Apenas ¼ do cérebro do bebê está formado na época do nascimento; o restante é formado nos primeiros dezoito meses.*

Calor

Ao contrário de outros primatas, nossos bebês nascem nus, sem pêlo e morreriam rapidamente de hipotermia sem a transferência do calor do corpo da mãe em um contato pele a pele. Desde muito cedo, os bebês foram vestidos com pele de animais para se manterem aquecidos. Os bebês humanos também nascem com "almofadas" de gordura entre as omoplatas; a única função dessa gordura é ser decomposta e proporcionar calor caso o bebê sinta frio. Esses depósitos duram o bastante até que a amamentação seja introduzida e o metabolismo básico do bebê comece a produzir calor. Porém, a transferência de calor materno continua sendo uma fonte essencial de energia durante vários meses após o nascimento.

> ## A GORDURA DO BEBÊ
>
> É interessante notar que o bebê humano é único entre os grandes primatas no que se refere à quantidade de gordura em seu corpo na época do nascimento. Mesmo o grande gorila de costas prateadas produz um bebê magro, com não mais de 2% de gordura no corpo; às vezes, o bebê humano chega a atingir elevados 15%.
>
> Dar à luz a nossos bebês é difícil, e acrescentar uma grossa camada de gordura apenas dificulta as coisas, de modo que é provável que ela tenha uma função importante; qual é, porém, nós ainda não sabemos. Ela pode ser útil para proporcionar calor e isolamento, embora os primeiros seres humanos vestissem o bebê com peles. Ou, então, pode agir como um depósito de energia, a fim de estimular o crescimento do cérebro – embora, muitas vezes, os bebês fiquem ainda mais gordos após o nascimento. Ou, talvez, seja apenas uma lembrança de nosso passado aquático.
>
> Mais interessante, contudo, é a indicação de que ela faça parte dos muitos mecanismos utilizados pelo bebê para encorajar os pais a amá-lo: ele está se mostrando tão fofinho e adorável quanto possível. Certamente, é verdade que quanto maior o bebê, mais confiante e relaxada a mãe se sente em relação à criança. Esse motivo tem o meu voto.

Toque

Uma das exigências básicas dos bebês primatas é o carinho: somos uma espécie de "contato-contínuo". Não apenas os humanos, mas também outros primatas requerem um contato pele a pele, a fim de se desenvolverem adequadamente. Acho que isso não representa surpresa.

Durante milhões de anos, ser separado de quem cuida dele por mais que um breve período significava morte para o bebê. Os bebês primatas ainda vivem com esse terror primordial de serem abandonados. Eles precisam do conforto constante de alguém familiar e atento que cuide deles para que se sintam seguros e confiantes; a necessidade é abrangente e palpável. Seu sistema neurológico básico foi criado para evocar e reagir a contato direto e união. Os bebês enrodilham seu corpo automaticamente e colam o máximo de pele possível de encontro a um corpo quente e aconchegante; seus lábios procuram e rodeiam o mamilo mais próximo e seus sentidos assimilam os sons, a visão, o cheiro e o gosto do corpo da mãe. Durante as primeiras semanas e meses, esse é o ambiente do bebê. Não a família, a casa ou o país: somente o corpo da mãe.

Contato pele a pele

Pesquisas com bebês prematuros mostraram que o contato pele a pele com a mãe melhora o estado fisiológico, normaliza a respiração e os tranquiliza. No mundo em desenvolvimento, bebês prematuros nos hospitais se saem melhor se receberem "cuidados de canguru" regularmente, isto é, contato pele a pele com a mãe. Bebês nascidos a termo, ainda relativamente prematuros, não são diferentes; precisam de carinho como peixes necessitam de água. Tal contato tranquiliza-os e parece ser necessário para um desenvolvimento neurológico e psicológico normal, e para a formação de uma ligação segura com os pais e com quem cuida deles.

A natureza também sabe que, se os bebês forem abandonados, isso provavelmente ocorrerá nos primeiros dias. Depois que a amamentação se inicia, o elo entre mãe e filho rapidamente se torna sólido demais para ser rompido. De fato, a amamentação exibe muitas características de um vício: o corpo da mãe e do bebê reagem e secretam hormônios semelhantes à morfina, induzindo ambos a voltar em busca de mais. No entanto, mesmo antes que esse elo esteja totalmente formado, o bebê começa a exercer sua magia, certificando-se de que a mãe irá envolvê-lo em afeição e amor. Para induzir toda essa devoção abnegada e muito trabalho duro, o recém-nascido precisou concentrar muitos aspectos de seu desenvolvimento para atrair e interagir com os pais. De fato, ele se tornou uma sofisticada máquina produtora de amor.

> *O ambiente do bebê não é a família, a casa ou o país, mas somente o corpo da mãe.*

Os bebês-macacos e o toque

Experiências realizadas com macacos confirmam essa necessidade de contato com o corpo. Bebês-macacos ficam infelizes, angustiados e apáticos quando são separados das mães, mesmo quando bem alimentados. Uma pesquisa realizada há alguns anos separou filhotes de macacos *rhesus* de suas mães. Foi oferecida a eles uma opção: nas suas gaiolas havia um tubo aquecido, do tamanho da mãe e revestido de veludo com um rosto no topo, e outro tubo do mesmo tamanho, feito de arame, no qual havia uma mamadeira com um bico do qual saía leite. Os macacos preferiram aconchegar-se ao tubo macio e sugavam no bico o mais rápido possível e apenas quando estavam com muita fome. Eles preferiram a segurança de um abraço acolhedor ao alimento.

Essa descoberta foi enfatizada por outra experiência realizada posteriormente: a mãe substituta fazia coisas desagradáveis aos bebês que se colavam a ela (soprava ar frio ou os espetava com um prego) e, mesmo assim, eles continuavam grudados a ela, até mesmo com mais intensidade. Outros estudos mostraram que macacos com idade correspondente a de um bebê de mais ou menos um ano, separados da mãe por alguns dias, também ficaram angustiados com a separação. Entretanto, quando ambos eram reunidos outra vez, os bebês-macacos apresentavam uma regressão em seu comportamento e tornavam-se muito apegados à mãe, mal suportando a ideia de deixá-la sair de suas vistas por um momento. Se a mamãe ameaçava sair, eles ficavam furiosos, zangados e agitados. Meses depois, eles ainda não tinham recuperado o antigo comportamento; ficavam ansiosos, não exploravam o ambiente como os outros macacos, pareciam deprimidos e se mostravam tímidos em relação a mudanças em suas gaiolas.

O grau de ligação existente entre o bebê e a mãe, antes de serem separados, parece ser um fator muito importante para esses macacos; os mais seguros saíam-se melhor do que os que alimentavam suspeitas quanto à possibilidade de serem deixados pela mãe.

Uma ligação insegura
Estudos de longa duração sobre bebês que, com a idade aproximada

> de I ano, mostraram ter uma "ligação insegura", isto é, aparentavam muita ansiedade mesmo em breves períodos de ausência materna, revelaram que esse fator desempenhou um papel importante na naturalidade com que eles se adaptaram a um ambiente escolar e, mais tarde, formaram relacionamentos pessoais. Parece que as sementes da confiança pessoal e auto-estima são plantadas no berçário.

Proteção e atenção

Nosso bebê imaturo nasce em um estado extremamente vulnerável, em que necessita de muita proteção e atenção. Suas mãos são feitas apenas de cartilagem e seus braços não têm força; ao contrário de outros primatas, o bebê humano não pode nem segurar-se ao corpo da mãe, ele precisa ser carregado. Ele mal consegue sustentar seu pesado cérebro sobre o esquelético pescoço, ao nascer. Não é de se surpreender que a bolsa-canguru tenha sido inventada há duzentos mil anos, especialmente pelos povos nômades. Esse invento exerceu um efeito profundo na criação dos bebês, pois permitiu que a mãe continuasse a trabalhar enquanto permanecia em contato constante com seu bebê, oferecendo a proteção e o calor do corpo. Na tribo, havia somente alguns bebês de cada vez, de modo que sempre havia mulheres livres (*alloparents*) – mulheres mais velhas, garotas solteiras e outras mulheres férteis – que podiam auxiliar as mães nas tarefas cotidianas de cuidar do bebê.

Na natureza, é normal que o animal morra depois que cessa sua capacidade reprodutiva; isso não ocorre com a fêmea humana. As mulheres vivem durante décadas além da menopausa, porque são um recurso essencial para a família e são necessárias para ajudar a cuidar dos bebês. Entretanto, nenhum desses *alloparents* foi convidado a amamentar; em nenhuma parte do reino animal a amamentação é partilhada como parte da rotina. O leite materno possui elevadas concentrações de anticorpos criados pelo corpo da mãe para afastar micróbios específicos de seu ambiente. Assim sendo, seu leite é um coquetel produzido sob medida para proteger o próprio bebê, que está com ela no mesmo ambiente.

Capítulo 9
Como os bebês controlam os pais

A natureza não seria tão boba de entregar bebês nas mãos dos pais, sem ter certeza de que haveria uma boa recepção para eles. A evolução adicionou numerosos pequenos mecanismos para se assegurar de que, rapidamente, os pais estariam ligados a seus bebês e trabalhariam pela sua sobrevivência.

Minutos após o parto, o bebê deixa seus pais saberem que ele os conhece e os instintos dos pais, automaticamente, respondem à cutucada primordial do bebê. A natureza, ao ajustar os sentidos do bebê para responder aos seus pais, garante que eles também responderão rapidamente ao bebê, e o reconhecerão como sua responsabilidade. Então, o sistema nervoso do bebê foi programado para responder e controlar os pais, para as suas necessidades de sobrevivência.

> Depois de ter o meu terceiro filho, eu me tornei muito defensiva com relação a ele. Eu não queria visitas, nem mesmo dos meus outros filhos.

> Eu só queria ir para o fundo de uma caverna e dar a ele toda a minha atenção, sem distrações.

VISÃO

Observe qualquer bebê, nas primeiras horas depois do parto. Muitos pais ficam estarrecidos com a maneira como ele observa todo o quarto, encontra os seus rostos e os contempla fixamente. Isso não é ilusão.

Atração facial

Testes mostram que o bebê realmente tem uma preferência instintiva pelo rosto humano, mais do que por coisas inanimadas. Ele também prefere rostos bonitos e simétricos aos que não são atraentes.

E os seus instintos interagem com os do bebê. Quando ele olha fixamente para você, você está programada para se aproximar, a fim de entrar no foco dele, cerca de 17 a 20 cm, e a falar e a responder a ele. Isso tudo faz parte do plano dele, para garantir que alguém se apaixone por ele (com sorte, os pais), e que o levem para casa e o amem para sempre. Geralmente funciona.

Padrão de preferência

Depois desse período, o bebê perde interesse em olhar em volta e se torna mais interessado em tocar a pele da mãe, os seus seios, e em encontrar seu leite. Quando ele tem cerca de quatro semanas de idade, ele volta a olhar fixamente para tudo. É por isso que, antigamente, as pessoas acreditavam que o bebê não podia enxergar, até ter seis semanas de idade. Não é verdade. Apesar de ser difícil chamar a atenção dele, é possível, nessas primeiras semanas, fazer com que ele interaja com você.

Escolha uma hora em que ele esteja calmo e alerta. Quando você mostrar uma expressão facial definida, ele tentará imitá-la. Dê a ele um grande sorriso ou mostre a língua. Com frequência, você pode vê-lo tentar, com insegurança, fazer o mesmo, enquanto olha para a expressão no seu rosto. Se você mover um objeto brilhante ao nível do seu olho, ele o seguirá até um ângulo de 30 graus, de lado a lado. Ele prefere curvas e linhas suaves a ziguezagues rápidos e gosta do contraste da luz e do escuro. Ele também consegue discriminar cores: ele pode distinguir vermelho do verde, mas, só depois de alguns meses, conseguirá distinguir o azul das outras cores.

Memória auditiva

Pesquisas recentes demonstram que os sons de que os bebês se lembram e com os quais se ligam são fascinantes. Em primeiro lugar, os bebês ouvem bem. Mas você já notou que quando fala com um bebê, você instintivamente fala mais alto para chamar a atenção dele?

De fato, os bebês preferem frequências mais altas e conseguem identificá-las melhor. Isso pode se dever ao fato de a voz da mãe ser mais aguda que a do pai e, no útero, o bebê escutá-la mais claramente.

Reconhecimento de sons

Os bebês também respondem à voz da sua mãe, em distinção às vozes das outras mulheres, desde os primeiros momentos da vida pós-natal, e é um som que faz com que o coração deles bata mais rápido. A resposta específica à voz do pai demora alguns dias.

Parece que sons aos quais os bebês foram expostos, no último mês da gravidez, produzem uma resposta positiva depois do nascimento. Um estudo mostrou que bebês inquietos se acalmavam quando se tocava a música de abertura de alguma novela à qual a mãe assistisse com frequência, mas o contrário não acontecia (os outros bebês provavelmente choravam mais alto!).

Ainda mais interessante foi o estudo no qual as mães liam determinados poemas ritmados para os seus filhos, enquanto ainda estavam no útero. Depois de nascidos, os bebês sugavam com mais força no peito quando aquele poema, em particular, era lido para eles, mas o mesmo não acontecia quando se lia um outro poema, com o mesmo ritmo. Claramente, deve haver nisso mais do que uma simples resposta ao ritmo dos sons.

Lembrando do útero

Em suma, os bebês respondem a sons que ouviram no útero. Entretanto, o som mais alto no útero não é uma voz, é a batida do sistema arterial da mãe. Muitas mães carregam os seus bebês no lado esquerdo, sejam canhotas ou não. Elas sabem que o bebê se acalma com o som do coração, um som muito familiar, que o faz lembrar-se do útero. Quando queremos balançar ou dar tapinhas nas costas do bebê, instintivamente o fazemos mais ou menos na velocidade do coração maternal. Os bebês se acalmam, mais facilmente, com cerca de 70 batidas por minuto, do que com uma batida mais rápida ou mais lenta.

> Há muitos anos, quando eu estava grávida do meu filho, assisti ao filme "Canhões de Navarone". Durante a grande batalha, o bebê no meu útero ficou maluco com as explosões: eu quase tive que sair do cinema. Vinte anos depois, ele entrou para o exército e se tornou um especialista em demolições.

Cheiros e sabores

O cheiro desempenha um papel enorme na reprodução, em quase todo o reino animal. As fêmeas de muitas espécies secretam uma substância chamada feromônio, que atrai o macho ou indica que elas estão ovulando. Algumas secretam feromônio pelos mamilos, para guiar a sua cria para se alimentar. Parece que o cheiro também garante que os animais não cruzem com os membros da mesma família: o "cheiro familiar" os repele. Muitas pesquisas têm sido feitas para descobrir se tais agentes são importantes na espécie humana, ajudando mãe e bebê a se unirem, ou melhorando a amamentação.

> *Qualquer coisa que faça o bebê lembrar de quando estava no útero irá acalmá-lo.*

O bebê cheirando a mãe...

Não há dúvidas de que o feto, dentro do útero, consegue sentir cheiros e sabores. É claro que, no ambiente aquoso do fluido amniótico, esses dois sentidos são um só. Dentro do saco amniótico, o bebê passa muito do tempo em que está acordado engolindo grandes volumes de fluido. Esse fluido é absorvido na sua circulação e, a partir daí, é absorvido pela mãe, via cordão umbilical, e também é urinado.

Experimentando o líquido amniótico

Os fetos podem ser encorajados a engolir até grandes quantidades de fluido, se este estiver adoçado com sacarina, e menos fluido, se tiver um sabor desagradável. Portanto, parece que nós já nascemos gostando de doce.

Condicionando para sentir cheiros e sabores, antes do nascimento

Os fetos podem ser "condicionados" a sabores, também. Um estudo interessante mostrou que se as mães comiam cominho apimentado, uma semana antes do parto, depois do nascimento o recém-nascido se sentiria atraído por esse cheiro. Isso indica que o feto pode desenvolver o reconhecimento de cheiro/sabor antes do nascimento, o que não deveria ser surpreendente. Muitos animais aprendem o que é gostoso, ou seja, o que é saudável para comer, ao saboreá-lo no líquido amniótico, antes de nascer.

Lembre-se, os bebês, sejam animais ou humanos, estão engolindo fluido, no útero, quase o tempo todo, e, na parte final da gestação, eles já têm todo o equipamento para distinguir sabores e cheiros, que são sentidos relacionados. Quanto aos bebês do reino animal, depois que nascem, eles vão rejeitar qualquer coisa que tenha um sabor não familiar. A partir daí, evitam comer comidas que possam fazer mal, mesmo que a mãe não esteja por perto para ensinar. O estudo mencionava que os bebês humanos podem ter essa discriminação também.

Para o caso de nós ainda não sabermos, qualquer coisa que faça o bebê se lembrar de quando estava no útero tende a acalmá-lo, pelo menos no começo. Os bebês irão se acalmar quando presenteados com o cheiro do líquido amniótico. Eles até sugam mais avidamente um mamilo, se o líquido amniótico foi aplicado nele. Essa preferência pelo líquido amniótico desaparece em quatro ou seis dias, quando a preferência pelo cheiro do peito da mãe aparece.

E depois do nascimento

Experiências mostraram que os bebês que são amamentados reconhecem e mostram preferência pelo cheiro do protetor para o seio da própria mãe, com cerca de seis a sete dias de idade, e mais ou menos um dia antes, eles demonstram preferir isso a um protetor limpo.

Se a mãe usa um tipo de perfume durante a amamentação, em um dia o bebê se voltará para o cheiro do perfume e esperará ser alimentado. As parteiras sabem, há anos, que não é uma boa ideia trocar de perfume uma vez que a amamentação esteja estabelecida, pois pode confundir o bebê.

Apesar de os bebês poderem saborear, eles não são discriminativos em relação à preferência de sabor. Certamente, eles vão rejeitar os sabores que a maioria dos seres humanos acha desagradável, mas não se pode confiar que eles saibam se proteger de substâncias nocivas: por exemplo, em uma tragédia que aconteceu há muito anos, um leite artificial foi altamente salgado acidentalmente e, mesmo assim, continuou sendo tomado avidamente pelos bebês a quem era oferecido.

➡ *O variado sabor do leite materno*

A habilidade do bebê de saborear demonstra outra vantagem importante da amamentação. Dentro do útero, o feto engole uma vasta quantidade de líquido amniótico por dia, compartilhando ativamente da dieta da mãe e conhecendo as suas preferências de sabor. Depois do parto, ele gostaria que essa situação continuasse. Como é triste para o bebê cuja mãe ouve o conselho da querida senhora que mora no fim da rua e que sugeriu que "agora que você está amamentando, querida, você precisa ter muito cuidado com o que come. Eu sugiro uma dieta de arroz e ervilhas". De repente, a gostosa experiência de variedade de sabores do bebê contrasta com uma dieta desagradável. Ele se pergunta o que aconteceu com aquela carne apimentada, o alho, e a cebola. Será também proibido o prazer do chocolate?

Deve haver alguma coisa inata sobre a preferência do bebê por vários sabores. Um pequeno estudo indica que o alho comido pelas mães e secretado no leite, onde pode, facilmente, ser detectado pelo cheiro, encoraja um aumento na sucção do bebê, e que os bebês consomem mais leite por mamada. O álcool faz com que os bebês suguem mais avidamente, mas eles tomam menos leite. Portanto, uma das maravilhas da amamentação é a variedade de sensações que os bebês têm, diferente dos que recebem leite artificial, pois recebem sempre o mesmo gosto entediante, mês após mês.

◆ A experiência de sabor que dura a vida inteira

Não é surpreendente que os bebês que foram amamentados, uma vez desmamados, gostem muito mais de experimentar comidas novas do que os bebês que receberam leite artificial, além de comerem duas vezes mais do que os que receberam leite artificial? Outro estudo com um grupo de crianças de cinco anos de idade, escolhidas ao acaso, a quem foi dado um vegetal que elas nunca haviam visto antes, mostrou que aquelas que foram amamentadas estavam mais dispostas a experimentar o vegetal do que as que receberam leite artificial.

Mas os efeitos da amamentação podem durar ainda mais. Foi dado a um grupo de estudantes universitários um questionário, que perguntava se eles gostavam de comer ou se achavam que comer era uma chatice; e, caso gostassem, se preferiam pratos conhecidos ou pratos novos. As respostas eram claramente divididas entre aqueles que foram amamentados (gostavam de comer e experimentavam pratos novos) e os que receberam leite artificial (achavam que comer é uma obrigação e eram relutantes em experimentar novos pratos).

Os efeitos de quando somos bebês aparecem, anos depois, de várias maneiras.

... e a mãe cheirando o bebê

Pergunte a uma mãe sobre o cheiro do seu bebê e uma expressão sonhadora irá flutuar pelo seu rosto. Ela usará palavras como "inebriante, delicioso, maravilhoso"...

Em um estudo fascinante em uma maternidade em Israel, os bebês eram imediatamente vestidos com uma camisetinha de pagão, logo após o parto. Após 24 horas, eram tiradas e colocadas em sacolas lacradas. Depois de três dias, as camisetas eram apresentadas às mães as três sacolas e perguntava-se a cada uma qual camiseta pertencia a seu filho. Desde que a mãe tivesse passado mais de 12 horas com o seu bebê nas primeiras 24 horas, e não fumasse, ela reconhecia o cheiro do seu filho com 100% de acerto. Tal reconhecimento, nos primeiros dias, parece ser mais preciso do que o reconhecimento pelo som do bebê chorando, ou por uma fotografia.

O nosso arcaico sentido de olfato

O sentido do olfato é o mais primitivo, e os nervos do nariz vão diretamente para a parte mais velha do cérebro dos mamíferos, com bem poucas conexões intermediárias. Todos nós sabemos que os cheiros podem evocar memórias multidimensionais, que chegam completa e espontaneamente, de uma maneira que memórias estimuladas por qualquer outro sentido não fazem. Portanto, não é surpreendente que o cheiro influencie profundamente tais bases funcionais, como a reprodução.

Nós também sabemos que, em relação a habilidades olfativas, as garotas ganham dos garotos, em qualquer idade, desde o nascimento até a senilidade. Em fêmeas maduras, a habilidade parece variar com o ciclo menstrual, aumentando, consideravelmente, durante a gravidez. Algumas mulheres sabem logo que estão grávidas, porque, de repente, não conseguem suportar cheiros fortes, como o de bacon ou de café.

Cheiros familiares

Os ratos não cruzam com parentes próximos quando reconhecem o "cheiro familiar". De maneira fascinante, o cheiro e a imunidade deles estão muito ligados, em nível molecular. O trecho do gene, ou o lugar, no cromossomo, da imunidade está localizado perto das características do cheiro. Pesquisas recentes também mostram o mesmo fenômeno nos seres humanos.

Mulheres receberam uma sacola com camisetas usadas por homens e foi pedido a elas para organizá-las em ordem de atração pelo cheiro (ou rejeição!). Quando os resultados foram comparados, a ordem mostrou que as mulheres preferem os cheiros das camisetas que pertencem a estranhos àquelas que pertencem a membros da família.

Analisando-se as características imunológicas de homens e mulheres, descobriu-se que as mulheres preferem o cheiro daqueles homens cuja imunidade fosse a mais diferente da sua, e rejeitavam aqueles que eram mais parecidos. Pode-se deduzir, assim que nós queremos ter filhos com o sistema imunológico o mais forte possível, o que daria aos bebês uma chance melhor de lutar contra infecções, e sabemos que isso é alcançado quando reunimos características diferentes, de ambos os pais.

Mas ainda há mais. Deram a essas mulheres uma bandeja com 36 perfumes básicos, que sempre foram usados na indústria: almíscar, cítrico, rosa e assim por diante. Pediram que elas dissessem quais prefeririam. Mulheres com características imunológicas parecidas escolhiam perfumes parecidos. Talvez a nossa escolha de perfumes se dê porque sabemos, intuitivamente, que realçam o nosso cheiro familiar, pessoal. Frase para se guardar: você não pode comprar perfume para os seus amigos, mas, provavelmente, você pode comprá-lo para sua família!

Escolhendo um companheiro

A propósito, parece que o odor familiar é alterado por hormônios sexuais. Portanto, se você está escolhendo um companheiro (acho que este livro chegou um pouco tarde para você), você pode querer parar de tomar a pílula, antes de tomar a decisão final...

Feromônios dos mamilos

Os mamilos dos coelhos secretam um aroma poderoso que atrai o filhote e o encoraja a pegar o mamilo e a sugar. Essa substância é um produto químico que pode ser diluído, na proporção de uma parte para 20.000, e ainda ser um atrativo poderoso. Também é volátil, o que significa que evapora depois de algumas horas e o efeito desaparece. Essas substâncias são chamadas de feromônios – são os hormônios secretados na superfície, mas que têm efeito longe do corpo.

> *Cheiro e imunidade estão intimamente ligadas, em um nível genético.*

O exemplo do cheiro do mamilo humano

Se o ser humano também secreta um aroma no seio que atrai o bebê para o mamilo tem sido uma questão profundamente pesquisada, e a resposta é um ressoante "provavelmente, um pouco"! É lógico que os animais, como os coelhos ou os porcos, possuem esse sistema: os seus filhotes não podem ver, e a mãe não pode fisicamente ajudá-los a chegar ao peito, portanto, eles precisam de um bom guia básico para chegar ao seu suprimento de comida.

Os seres humanos não têm tal tipo de problema. Além disso, muitos dos animais que possuem esse poderoso sistema para atrair para o peito são aqueles que nascem todos ao mesmo tempo, como os carneiros. Como há centenas de carneiros no mesmo pasto, eles precisam de um bom sistema de reconhecimento para chegar até o mamilo da mãe.

Os seres humanos, que vivem em pequenos grupos, nos quais só há um ou dois bebês, como um grupo de famílias de caçadores, por exemplo, não têm esse problema, portanto, possuem pouco cheiro no peito.

Testes detalhados para verificar se os bebês humanos têm uma atração inata pelo peito lactante, defrontaram-se com dois problemas. Primeiro, como já foi mencionado, o olfato dos meninos não é muito apurado, portanto, os estudos foram feitos só com as meninas. Segundo, os bebês reconhecem um cheiro específico, dentro de 24 horas, se for acompanhado de uma mamada, e quando sentirem novamente o cheiro, esperarão por outra mamada. Assim, para detectar um aroma tão sutil quanto o feromônio do mamilo, só foram usadas meninas que eram alimentadas com leite artificial. A pesquisa mostrou que há uma preferência pelo peito lactante em relação ao peito não lactante. A conclusão é que o mamilo secreta algo atraente, mas é sutil. Entretanto, é preciso não lavar os mamilos antes de amamentar, ou lavá-los só com água, sem sabão, pois o atrativo é, provavelmente, gordura.

Parte IV - O que acontece em casa

Capítulo 11

Acomodando-se em casa

Muitas mães de primeira viagem mal podem esperar para voltar para casa depois de terem os seus bebês. Já as mais experientes precisam ser arrancadas da cama do hospital e mandadas para casa, chorando e chutando! Existe uma lição, aqui, para as inexperientes. Lembrem-se de que não é só o trabalho de casa que aguarda por vocês, mas, quando os seus amigos forem visitá-las, eles esperarão por uma xícara de café e vão querer acordar o bebê para pegá-lo. Além disso, eles, normalmente, ficam na sua casa até tarde.

Existem algumas coisas para pensar, antes de ir para casa. O seu nível de ansiedade em relação ao bebê provavelmente vai aumentar. Você vai ter que fazer várias coisas pela casa e vai ficar mais cansada; portanto, a sua quantidade de leite irá diminuir um pouco, nos primeiros dois dias. É provável que o bebê se comporte de modo diferente, por alguns dias, devido à combinação desses fatores, o que vai fazer a sua ansiedade e o seu cansaço piorarem.

O meu conselho é que você esteja preparada para essa mudança de comportamento e aceite-a. Lembre-se de que o comportamento dele mudava dia a dia, no hospital, e vai continuar assim em casa, até que se estabeleça um padrão.

Além disso, ignore o trabalho de casa ou arranje alguém para fazê-lo, e descanse o máximo possível.

IRMÃOS

Imagine como deve ser. Você tem dois anos de idade e é o reizinho da casa. Um dia, os seus pais trazem para casa um bebê, um jovem pretendente ao seu trono, e a mamãe, a sua escrava pessoal, começa a dar muita atenção ao intruso. E para piorar, ele suga regularmente no seio dela, que até agora era sua propriedade privada.

Seu plano de ação:

- Torne-se um bebê, novamente: exija uma chupeta e a soneca de dia.
- Faça tudo o que puder para distrair a mamãe, especialmente durante a amamentação.
- Seja o mais levado possível: afinal de contas, qualquer atenção é melhor do que nenhuma.

Trazer um novo bebê para casa significa uma grande mudança no estilo de vida da criança que, até então, era filha única. Por isso, é algo que deve ser planejado e solidariamente considerado.

No hospital, certifique-se de que tudo o que é preciso ser feito no bebê, seja feito antes de o irmão chegar. Isso permite que você dê todo o seu tempo e a sua atenção para o outro filho. Se o bebê chorar ou fizer barulhos altos, tente ignorar ou deixar para o pai cuidar.

Quando chegar a hora de deixar o hospital, o irmão ou a irmã mais velha deve vir ajudá-la a levar o bebê para casa, mas deve segurar a sua mão, enquanto o papai carrega o bebê. A pior coisa que você pode fazer é mandar o filho mais velho para a casa dos avós, quando você trouxer o bebê para casa. Você estará mandando uma mensagem bem clara, para o seu filho mais velho, sobre quem você prefere agora.

> *Irmãos com menos de 20 meses parecem não se importar tanto com os recém-chegados quanto os que têm mais de 20 meses. Quanto mais próxima a criança está dos três anos, mais fácil será. Entretanto, os de dois anos de idade são um problema.*

Use o seu bom senso, e transforme o trabalho de cuidar do bebê em um trabalho em conjunto. Dê para a filha mais velha uma boneca para ela cuidar, e faça com que ela ajude a cuidar do bebê, mesmo que, com isso, cada tarefa leve o dobro do tempo. Ou tente fazer com que o filho mais velho ajude a tomar decisões: se o bebê estiver chorando, tome uma decisão em conjunto sobre o que deve ser feito (a irmã mais velha não aguenta o barulho, também). Dê banho no filho mais velho com afeição. Tente fazer com que ele, ou ela, sinta uma responsabilidade real pelo pequeno bebê. Se os dois estiverem chorando ao mesmo tempo, tente confortar o mais velho, primeiro.

Irmãos com menos de 20 meses parecem não se importar tanto com os recém-chegados quanto os que têm mais de 20 meses. Quanto mais próxima a criança está dos três anos, mais fácil será. Porém, os de dois anos de idade são um problema.

Amigos

Nos primeiros dias em casa, os seus verdadeiros amigos ficarão longe; e se eles aparecerem, vão trazer o jantar ou levar o seu filho mais velho para passear no parque! Quanto aos outros, não acorde o bebê por eles. Seja educada, mas firme; e dê a eles algum serviço da casa para fazer. Se você tiver sorte, eles vão se lembrar de algum compromisso urgente.

Dormir

Logo depois da amamentação, dormir é um dos assuntos que mais preocupam os novos pais (tanto em relação ao bebê, quanto a eles!). O sono dos bebês varia muito. Estudos mostram que a média varia de 8 a 22 horas por dia; um bebê "típico" dorme cerca de 16 horas por dia, na primeira semana após o nascimento. Esse período diminui cerca de uma hora durante o resto do primeiro ano, mas o padrão muda.

Os bebês pequenos dormem quase tanto de dia como de noite, mas, quando se aproximam dos seis meses, dormem mais à noite, e as sonecas do dia ficam menores.

Não se preocupe se o seu bebê parece dormir só por curtos períodos de tempo. Os bebês que dormem 23 horas por dia e só acordam para mamar são, geralmente, os filhos dos outros. Alguns bebês passam a maior parte do dia olhando para a mãe, piscando para a luz e geralmente apreciando toda a atividade que acontece a sua volta. Alguns bebês não gostam de tirar sonecas, mas, quando estão acordados, ficam reclamando. Alguns bebês dormem o dia inteiro e choram a noite toda. Existem bebês de todos os tipos!

> *Não se preocupe se o seu bebê parece dormir só por curtos períodos de tempo. Os bebês que dormem 23 horas por dia e só acordam para mamar são, geralmente, os filhos dos outros.*

Um conselho comum é: "mantenha o bebê acordado durante o dia e ele vai dormir a noite toda". ERRADO! Na verdade, é o inverso. Quanto mais ele dorme de dia, mais ele vai dormir de noite. Isso acontece porque, se ele dorme mais de dia, há pouca oportunidade de estimulá-lo, portanto, ele estará menos estressado e irá dormir ainda mais. Reduza a hora de brincar, para aumentar a hora de dormir.

Genericamente falando, bebês cansados dormem. Se isso não for suficiente para você, tente as manobras do capítulo "Cólica e bebê que chora". Lembre-se de que nenhum bebê ficou doente por dormir pouco: só os coitados dos pais dele.

Mãe não é mártir

É preciso algum esforço para cuidar das necessidades de todos e das suas, ao mesmo tempo, quando você chega em casa com um recém-nascido. Portanto, não se esqueça de fazer o que está sugerido abaixo.

1. Coma dentro da normalidade e regularmente. Se você estiver amamentando, o seu peso pode diminuir, pois você transfere os seus depósitos de gordura para o bebê; mas pode não emagrecer se estiver comendo por dois. É importante ter uma boa dieta nutritiva para vocês dois.
2. Se você estiver obcecada com o trabalho da casa, tente arranjar alguém para ajudá-la. Esse não é o momento de limpar, lavar e esfregar. Se você não conseguir ajuda, deixe a casa um pouco de lado e aproveite qualquer tempo livre que você tiver.
3. Como o pai não teve que passar pelo parto, ele pode não entender completamente que vai demorar algumas semanas para você recuperar as suas forças, sem falar das exigências noturnas, feitas pelo seu bebê. O sexo pode ser a última coisa que passe pela sua cabeça, nas primeiras semanas; mas pode ser a primeira, na cabeça do seu parceiro. A atividade sexual mais vital para vocês dois, no momento, é conversar sobre isso e não, simplesmente, evitar o assunto. E, então, quando a sua libido começar a voltar, você não encontrará um parceiro mal-humorado e ciumento, que acha que foi trocado por um bebê.

Os bebês têm algumas necessidades críticas: a mais importante é uma mãe e um pai felizes, em um relacionamento estável e amoroso. Essa parte do cuidado do bebê precisa de tanta atenção quanto as fraldas.

Na verdade, não se espante se a sua recuperação sexual demorar mais do que você esperava. Um estudo com mais de 400 mães descobriu que problemas sexuais como falta de libido, desconforto com a relação e dificuldade em atingir o orgasmo alcançavam o seu pico três meses depois do parto, afetando quatro, em dez mulheres. Metade dessas mulheres continuou tendo os mesmos problemas por mais de um ano.

O estudo também mostrou que, apesar de muitos dos problemas físicos se resolverem no primeiro mês, problemas nos seios, hemorroidas, tonturas, fadiga, queda de cabelo e constipação algumas vezes persistiam por três a nove meses após o parto. As mães, no primeiro ano depois de terem os filhos, também tinham um risco maior de pegar infecções respiratórias, como resfriados e gripes.

DE PARCEIRO A PAI

Não pode ser coincidência que tantas culturas diferentes excluam os pais do processo do nascimento. É como se temessem que o pai se envolvesse tanto com o recém-nascido que negligenciasse as suas responsabilidades de provedor. Não daria certo o pai brincar o dia inteiro com o bebê, e não ter comida na cozinha. Estudos sobre as reações dos pais, em relação aos recém-nascidos, validam essa conclusão.

Muitos dos pais que se envolveram bastante no processo de nascimento mostraram o mesmo comportamento que as mães apresentavam com os bebês: alguns assumiram até um papel mais dominante em lidar e brincar com o bebê. Certamente, eles pareciam totalmente absorvidos pelo pequeno e, com certeza, estourando de auto-estima. Em geral, é fácil reconhecer um novo pai: é aquele com fadiga terminal em seus músculos sorridentes...

Deve-se dizer que um pai não pode ser tão envolvido com o seu bebê quanto uma mãe que está amamentando. Os bebês tendem a tratar o pai com indiferença, por algumas semanas, uma vez que estão muito mais interessados no cheiro, no sabor e no leite da mãe. Muitos pais conseguem lidar com isso sem ficarem chateados ou enciumados, mas é uma boa ideia envolver o pai o máximo possível, em todas as atividades que ele **possa** fazer. Literalmente, quanto mais ele faz pelo bebê, mais ligado a ele se sentirá.

Superpai

Alguns estudos avaliavam a intimidade do relacionamento entre mãe e bebê de acordo com o modo como a mãe se comportava, enquanto o bebê era examinado pelo médico.

> *Os bebês têm algumas necessidades críticas: a mais importante é uma mãe e um pai felizes, em um relacionamento estável e amoroso. Essa parte do cuidado do bebê precisa de tanta atenção quanto as fraldas.*

Se ela ficava do outro lado do quarto, olhando pela janela e, quando o bebê chorava, ela se virava e resmungava "Ah, ele está sempre fazendo isso", ela ganhava um grande zero. Se ela ficava ao lado do médico e imediatamente o acalmava quando ele chorava (o bebê – pois os médicos são bastante corajosos), ela ganhava a nota máxima, seis.

Recentemente, vieram ao meu consultório um estivador corpulento e sua mulher, para fazer o *check-up* do bebê deles. A mãe esteve bem doente e teve que ficar no hospital por quatro semanas, depois do parto. Portanto, foi o pai quem tomou conta do bebê e era ele quem dava a mamadeira. Quando fui examinar o bebê, tive que lidar com um enorme par de ombros no meio do meu caminho: o pai ganhou a nota sete.

[132]

Os pais também ficam ligados

Uma vez, quando eu era um neonatologista recém-formado, nos Estados Unidos, viajei 480 km com a Equipe de Transporte de Recém-nascidos, de Denver até uma pequena cidade do Kansas. Nós fomos buscar uma garotinha que tinha ficado doente alguns dias depois do parto.

Quando cheguei, encontrei os pais e assegurei a eles que, logo que o bebê fosse estabilizado, iria para o Hospital Infantil de Denver. Levou cerca de uma hora para estabilizarmos o bebê, e então fomos embora. Quando passamos com o bebê pelas portas do Hospital Infantil de Denver, o pai já estava lá e nos cumprimentou. Ele tinha chegado antes de nós, dirigindo: e só tinha tomado uma multa por velocidade! Ele ficou ao lado do berço até que ela estivesse fora de perigo.

Aprendi uma coisa, quando o meu bebê tinha sete semanas de idade, que não estava em nenhum livro e nenhuma parteira tinha sugerido. Não foi nada que ajudasse meu bebê a dormir ou comer ou chorar menos, mas fez diferença para mim. O reflexo de "agarrar" do bebê, faz com que suas mãos e dedos fiquem cheios de pregas por meses, e uma quantidade incrível de uma massa que mistura suor, saliva e mau cheiro se amontoa, na palma das mãozinhas dele. Use um pouco de creme, na hora do banho, para deslizar os seus dedos pelos dele, para limpá-los. O resultado é uma mão limpa, com cheirinho doce para beijar!

Sair de casa

Você pode ficar maluca se ficar trancada dentro de casa com o bebê, por muitos dias. Por isso, você precisa sair. O movimento do carrinho de bebê também pode levar o bebê mais inquieto a dormir. Leve-o para o parque.

Dirigindo

É inacreditável a quantidade de crianças soltas dentro do carro, no banco de trás, ou pior, no banco da frente.

> As crianças precisam ser contidas no carro, para qualquer passeio.

Esses pais, presumivelmente amorosos, obviamente não sabem que até a mais leve brecada do carro pode fazer com que o bebê se torne um míssil tão pesado, que um homem forte não conseguiria segurá-lo. Qualquer um que já trabalhou na UTI de um hospital infantil pode lhe contar da agonia dos pais que saíram sem nenhum arranhão de uma pequena batida, mas cujo filho foi atirado pelo pára-brisa e agora está todo quebrado, ou moribundo, no hospital.

As crianças precisam estar seguras no carro, para qualquer passeio, por mais curto que seja.

Atualmente, é lei que o seu bebê viaje em um dispositivo que o mantenha preso, dentro do carro. Coloque esse dispositivo no carro, assim que você for para o hospital ter o bebê, ou antes; é preciso que já esteja no carro quando você for levar o bebê para casa. Fora o aspecto de segurança do primeiro passeio, isso faz com que você crie o hábito de nunca levar crianças ou bebês no carro, a menos que eles estejam completamente seguros.

Se o seu filho resiste fortemente a ficar preso, é uma boa oportunidade de ensinar a ele um pouco de disciplina: ele precisa entender que algumas regras não mudam e não estão abertas a negociação.

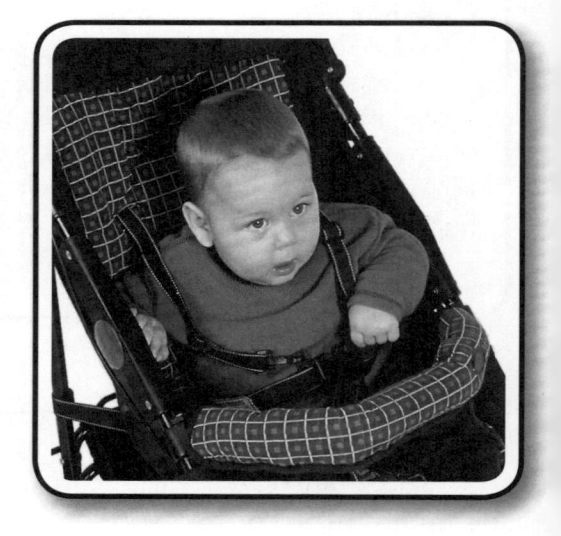

> ## Deixar o bebê no carro
>
> Vocês todos já viram, nas reportagens dos jornais, mas vale a pena repetir aqui. Em climas quentes, a temperatura do carro sobe a níveis letais, em apenas alguns minutos. Mesmo para "uma passadinha rápida no shopping", pode ser perigoso e não é seguro. Gastar três minutos a mais para pôr ou tirar o bebê do carro não é nada, quando comparado à tristeza interminável que pode resultar se você não o tirar.

Viajando de avião

Os aviões são pressurizados em uma pressão atmosférica de 1.600 metros, portanto, é perfeitamente seguro levar até mesmo o seu recém--nascido para conhecer os parentes de além-mar. Se ele nasceu prematuro e teve doenças pulmonares sérias, é melhor esperar até que ele recupere totalmente a saúde para depois viajar.

Na verdade, é bem mais fácil viajar com um recém-nascido do que com uma criança um pouco mais velha. Os bebês não têm a constante necessidade de se mover e podem ser normalmente confortados com o peito ou uma mamadeira. Eles também não chutam a poltrona da frente, não derramam toda a bebida que é dada a eles, não precisam ir ao banheiro quando os carrinhos de comida estão bloqueando o caminho, nem ficam fascinados com o cabelo do homem da frente.

Problemas de pressão no ouvido médio, quando o avião está descendo, são provavelmente mais comuns nos adultos do que nos bebês, pois a trompa de Eustáquio, entre a faringe e o ouvido médio, é bem mais curta nos bebês. No entanto, quando o avião descer, vale a pena fazer com que o bebê sugue, pois irá igualar a pressão no tímpano. Mas nem sempre os pilotos avisam quando vão começar a descer, o que acontece, geralmente, uma hora antes de pousar. Peça para alguém da tripulação avisar. Rigorosamente falando, não faz diferença se o bebê se incomoda com a pressão nos ouvidos: ele vai gritar se estiver incomodado, e esse é o melhor tratamento para igualar a pressão. O barulho dele não deve preocupar os seus companheiros de viagem, pois os ouvidos dos outros também estarão afetados pela descida!

Pouco tempo atrás, houve um rumor de que viagens longas de avião estavam associadas a um aumento da probabilidade de morte no berço, nos dias seguintes. Estudos detalhados foram feitos e mostraram que não era verdade, mas descobriu-se que alguns bebês eram sensíveis a uma leve queda da quantidade de oxigênio, em aeronaves pressurizadas, e isso alterava o padrão de respiração deles. A sensibilidade desaparecia logo que voltavam ao chão firme. Fique de olho no seu bebê, quando estiver dentro do avião, mas você não precisa se preocupar com a Síndrome mais do que o normal.

Capítulo 10

Dormindo com o bebê: mitos e verdades

Os pais que dormem com seus bebês na cama, hoje em dia, não falam muito sobre isso. Se não fizerem assim, todos irão criticá-los. Tanto os amigos como as pessoas estranhas lhes dizem que eles nunca mais conseguirão dormir direito, que os bebês vão ter problemas para dormir e que a criança não irá sobreviver, pois será esmagada. Nenhuma dessas afirmações é verdade. E muitos pais agem assim, amam fazê-lo e mantêm isso como um segredo em família. Vamos examinar o assunto.

A evolução da intimidade

Como chegamos onde estamos hoje, com as nossas dúvidas e incertezas, os nossos debates furiosos sobre a política do cuidado diário do bebê e da maternidade? De onde veio esse sentimento de que, de alguma forma, em algum momento, o relacionamento com o seu bebê foi jogado fora, junto com a água do banho da história?

Por milênios, desde a Pré-história, os bebês continuavam junto da mãe durante o dia e dormiam com ela à noite. Então, na Europa, no século XIV, começaram a surgir problemas com esse modelo. As condições sociais começaram a mudar. As unidades tribais e familiares começaram a se desintegrar. Os homens bons para casar haviam se tornado raros, e os que estavam disponíveis tinham pouco dinheiro. Era uma época na qual não havia nenhuma segurança na sociedade, e não havia proteção para os pobres ou para os solteiros.

"Esmagados"

Entre os séculos XIV e XVIII houve uma enorme quantidade de mortes de neonatos. Centenas e centenas de recém-nascidos morriam "esmagados", aparentemente de maneira acidental, já que eles eram acomodados na cama com a mãe. Isso era tão comum que, retrospectivamente, podemos ver que se tornou um dos maiores fatores de controle populacional naquela parte do mundo; os outros eram guerra, fome, doenças e celibato.

Mas a Igreja Católica e os governos não se deixaram enganar. Os bebês que morriam eram, pelo menos antes do século XVII, normalmente de famílias pobres, que tinham mais filhos do que podiam criar, ou de mães solteiras. Era uma época em que a vida era curta e brutal. O casamento acontecia tarde, porque os empregos eram escassos e havia pouco dinheiro para a maioria da população. Além disso, o casamento, nessa era sexualmente reprimida, na qual as mães solteiras não eram toleradas, era algo essencial para criar os filhos. Não havia assistência social ou qualquer grupo de ajuda para os bebês que não eram desejados. A Igreja Católica sabia o que estava acontecendo, pois durante a confissão, a verdade emergia. O sacerdócio sabia que não eram "esmagados", acidentalmente. Era um infanticídio. Portanto, em uma tentativa de parar a mortandade, a Igreja proibiu que os pais dormissem com os filhos.

Os governos também tentaram. Os italianos proibiram que dormissem juntos, a menos que usassem uma pequena jaula, chamada *arcutio*, que cobria e protegia o bebê na cama. Não é surpreendente que a taxa de mortalidade não se tenha alterado.

Orfanatos

No fim, a prática institucional surgiu com alguns governos abrindo os orfanatos: o costume começou com os italianos, no século XV. Eram abrigos onde mães desesperadas poderiam deixar seus bebês. Esses abrigos eram bastante usados. Na metade do século XIX, 43% dos bebês nascidos em Florença eram abandonados nessas instituições. Outros governos europeus abriram instituições parecidas, em uma tentativa de deter a epidemia de infanticídio. Infelizmente, a partir do século XVII, muitos casais de classe média, e até os ricos, decidiram não optar pela paternidade e começaram a usar esse serviço.

Os abrigos eram, sob qualquer critério, um total desastre. Eles se tornaram superlotados, e a taxa de mortalidade dos bebês alcançou níveis de 95%, em alguns lugares. A maioria dos bebês morria de gastroenterites, pois não havia amas-de-leite suficientes para alimentá-los e não existia uma alternativa segura de alimentação artificial.

Por que estou contando essa triste e horrível história? Por que ela nos mostra as razões que estão por trás de uma forte crença cultural. É uma crença em nossa sociedade não é seguro que o bebê durma na mesma cama que os pais. Nós acreditamos que nosso corpo é uma arma letal para os nossos bebês. Continua na nossa consciência a ideia de que "esmagar" é um problema em potencial.

> *Pela metade do século XIX, 43% dos bebês nascidos em Florença eram abandonados.*

A Revolução Industrial

Além disso, a Revolução Industrial chegou no século XVIII. De repente, os bebês não eram mais desejados na cama da família, pois tanto o pai quanto a mãe tinham que levantar cedo, para trabalhar nas fábricas e nas minas. Os bebês se tornaram cidadãos de segunda classe, e o desenho finamente projetado para que eles tivessem um ambiente seguro, até que estivessem maduros o suficiente para sair de perto da mãe, foi ignorado. O bebê era colocado no berço, e levado para um quarto separado.

Intimidade, hoje

Vamos acelerar no tempo e ver como estamos lidando com o assunto, hoje.

A maternidade fortalecida

Depois da Segunda Guerra Mundial, a visão predominante era a de que não se podia confiar em mães novatas para cuidar dos seus bebês sem ajuda de profissionais. A "maternidade fortalecida" estava no auge. Você podia visitar o seu bebê por 20 minutos, a cada hora, para amamentá-lo, mas depois você tinha que sair. Quando saía do hospital, eles lhe entregavam aquele pequeno estranho, e você tinha que ir para casa e fazer o melhor que pudesse.

Ficar junto no quarto

Entretanto, no começo de 1960, os suecos introduziram a ideia radical de que talvez as mães fossem capazes de lidar, com segurança, de seus bebês, dentro do próprio quarto. Foi um sucesso imediato. A técnica de deixar o bebê ficar junto da mãe no quarto havia começado.

Mais tarde, vieram os partos com pouca tecnologia, amamentação imediata, o conceito da ligação e a conclusão de que as mães precisavam que lhes dessem confiança e encorajamento, ou seja, um pouco de informação de como lidar com os bebês com competência.

A barreira final

A barreira final que o bebê tinha que ultrapassar era uma grande resistência aos ataques.

Você quer dividir a cama?

Muitas mães querem dormir com os seus bebês, mas não falam sobre isso, pois é norma em nossa sociedade enfatizar os perigos de tal prática e advertir contra ela. Portanto, antes de começar, é importante examinar as razões pelas quais você quer fazê-lo. A razão mais comum é porque parece ser certo e muito agradável, contribuindo para que a mãe e o bebê fiquem contentes. Também promove e intensifica a amamentação. Muitas mães que dormem com seus bebês gostam do fato de dormir em um estágio intermediário, conscientes dos bebês, mesmo quando estão ambos dormindo. Durante a noite, elas continuam conscientes da saúde e do bem-estar do seu bebê e descartam totalmente a possibilidade de esmagá-los. Mas isso não serve para todo mundo; portanto, se você acha que não é bom para você, não pense duas vezes.

Realmente, muitos casais que dormem junto de seus bebês provavelmente nunca planejaram isso: simplesmente aconteceu.

> Nós realmente gostamos muito de dormir com o nosso bebê. Eu estou um pouco preocupada com o fato de que o bebê se acostume demais com isso, mas meu marido gosta muito disso e quer que continue. O bebê dorme entre nós dois, por cima dos cobertores, e o nosso sono agora é muito mais leve do que antes.

Verifique os seus preparativos para dormir

É muito importante que os pais examinem cada detalhe, para se certificarem de que, se forem dormir com o bebê, isto seja seguro. As camas, no século XXI, não são iguais às da Era Neolítica, e muitos dos preparativos dos adultos não servem para um bebê. Os pais também devem saber que nada é totalmente seguro. E que nada irá eliminar completamente a possibilidade da Síndrome. A partir do começo da década de 1990, a incidência foi enormemente reduzida fazendo o bebê dormir de barriga para cima. Nenhum outro fator teve tamanho impacto na Síndrome, mas um nível residual continua, cerca de 0,87 a cada 1.000 nascimentos, e parece ser difícil reduzir mais que isso.

Os pais que decidem dormir junto com seu bebê precisam entender os itens abaixo, claramente.

- A cama deve ser firme e grande (uma cama *king-size* é ideal). Ela deve estar bem encostada na parede, ou deve-se colocar uma almofada firme entre o bebê e a parede, de forma que ele não escorregue do colchão e se asfixie no meio dos cobertores. Colchões no chão, almofadas e sofás são especialmente perigosos.
- Não use travesseiros macios nem cobertores pesados que podem asfixiar o bebê. Mantas também são perigosas.
- Não é seguro ter crianças maiores na cama junto com o bebê, é preciso que elas durmam no seu próprio quarto.
- É muito importante que, quando dormem, os pais tenham consciência de que o bebê está ali. Isso significa nada de álcool ou drogas que possam enevoar a responsabilidade protetora em relação ao bebê. Pela mesma razão, os pais não devem dormir com o bebê quando estão muito cansados, pois isso também pode colocar os pais em um nível de sono que não protege o bebê.
- Outra proibição absoluta quando se dorme com o bebê é fumar. Se um dos pais fuma, o bebê deve dormir em outro lugar. São exalados gases potencialmente letais por algumas horas depois do último cigarro, e esses gases podem ser realmente perigosos para o bebê. Ambientes em que se fuma são ruins para os bebês, de muitas maneiras, além de

aumentar a incidência da Síndrome. Portanto, se você ainda não parou de fumar, agora é um bom momento!

As regras acima são as mais importantes, mas existem algumas outras:

- Nada de colchão d'água – eles interferem na habilidade de controlar a temperatura do bebê.
- Se o bebê estiver com febre ou doente, ele deve ficar na própria cama.
- Nada de brinquedos macios ou grandes na cama. Não deve haver nada que cubra o rosto do bebê e atrapalhe a sua respiração. E se um dos pais tem cabelos compridos, eles devem ser presos.
- Sem obesidade. Se um dos pais está muito acima do peso, isso pode reduzir a sua sensibilidade de localizar o bebê com segurança, na cama.

O berço perto da cama

Lembre-se, muitas organizações dizem que o lugar mais seguro para o bebê é no berço, perto da cama do casal. Eu não contesto isto. Com relação a esse sistema, há poucas regras e menor margem de erros.

Se você quiser dormir com o seu bebê, tudo bem, mas atenha-se às regras

Os pais que querem dormir com o seu bebê podem fazê-lo, mas devem se ater às regras. É mais uma forma que os pais têm de aproveitar o bebê, e o bebê, de aproveitar os pais. Muitos pais começam a noite com o bebê no berço e então, lá pelas 3 da madrugada, depois da mamada, levam-no para a cama do casal, pelo resto da noite. Muitos bebês dormem no berço durante o dia e é muito raro que eles não se sintam confortáveis e não gostem.

> *Durma com o seu bebê se você quiser, mas atenha-se às regras.*

Quando parar

Quando parar de dormir com o seu bebê é outro bicho de sete cabeças. Basta dizer que, aos cinco meses, o bebê pode desenvolver padrões de comportamento manipulativos. "Se eu chorar agora, vou fazer com que a mamãe venha até aqui. Eu não preciso de nada, mas vamos tentar!" Nessa época, a amamentação já está bem estabelecida, portanto, pode ser um bom momento para tentar persuadi-lo a ficar no berço.

Tendo dito isso, devo acrescentar que muitas mães de bebês nessa idade me perguntam: "Eu preciso parar? Nós dois gostamos tanto!" Isso é puramente uma escolha de família. Se todos vocês gostam, continuem, só vai melhorar o seu relacionamento com o bebê. Entretanto, cheque com o seu parceiro para ter certeza de que ele não está se sentindo excluído. Ele também pode estar precisando de mais abraços.

E para aqueles que estão procurando uma saída, normalmente existe uma outra oportunidade, em cerca de um ano, quando as crianças parecem querer mais independência. Tente então.

A conclusão é que você não deve se sentir obrigada a pôr o seu bebê para dormir no berço, se você quer sentir o corpinho macio dele em contato com o seu, na sua cama, enquanto você dorme, tranquilamente. Atenha-se às regras, mas faça!

> Eu fiquei deprimida depois do nascimento dos meus três primeiros bebês e precisei tomar antidepressivos. Desta vez, levei o meu bebê para minha cama e nós dormimos juntos, durante os primeiros meses. Eu achei a experiência o máximo! Ele não chorava e era muito gostoso. Eu não me deprimi nesses meses. Eu chorei quando ele quis ir para a própria cama!

Regras para dormir na mesma cama

- Sem álcool.
- Sem drogas ou sedativos.
- Sem cigarros.
- Sem cansaço extremo ou exaustão dos pais.
- Sem colchões d'água ou colchões no chão.
- Não durma na mesma cama se o bebê estiver doente ou com febre.
- Cuidado com o pé da cama, evite quedas e evite que o bebê fique preso entre o colchão e as cobertas; certifique-se de que a cama está encostada na parede ou que há uma almofada dura, entre o final da cama e o bebê.
- Nada de mantas; no inverno, aqueça o quarto inteiro.
- Nada de brinquedos grandes ou macios, ou roupas de cama que possam cobrir a cabeça do bebê.
- Nada de dormir em sofás.
- Não coloque crianças pequenas junto, na cama; coloque cada uma na própria cama.
- Nada de animais.
- Prenda os cabelos compridos.
- Nada de obesidade.

Capítulo 12

Questões médicas tardias

Uma vez que você tenha saído do hospital, está tudo por sua conta. Você lamenta não ter feito mais perguntas. Mesmo pequenas coisas parecem assumir proporções catastróficas, no meio da noite. Uma pequena erupção se torna um grande indicador de doenças, o choro é um aviso de dor pungente...

Lembre-se: tudo de que você precisa para cuidar do seu bebê, com sucesso, é bom senso, e tentativa e erro. E de um ou dois fatos. Aqui estão alguns úteis...

Quanto peso o bebê deve ganhar?

- Muitos bebês, nos primeiros meses, engordam de 180 a 200g por semana, uma vez que a alimentação esteja estabelecida.
- Um ganho pequeno de peso (160 a 180g) só deve ser aceito como satisfatório se o bebê estiver contente. Se o bebê não estiver feliz, cheque a alimentação, talvez com o médico, só para garantir que esteja tudo bem.

➡ Muitos dos bebês que estão ganhando menos de 160g por semana, não importa qual seja o comportamento deles, prefeririam comer um pouco mais. Converse com o pediatra.

Assaduras devido às fraldas

A sensível pele do bebê recém-nascido pode sofrer vários problemas, pequenos, na maioria. Lembre-se de que os filhos dos dermatologistas e dos pediatras também têm assaduras. Isso não é um reflexo da qualidade do seu cuidado com o bebê.

As assaduras por causa das fraldas podem ser divididas em três grupos.

Assadura por contato

Essa assadura ocorre em áreas que ficam em contato com a fralda; as dobrinhas das coxas não são afetadas. É causada principalmente pela irritação da pele, da umidade da fralda e também pelas substâncias da urina, como a ureia, que formam a amônia.

➡ *Tratamento*

1. Lave as fraldas com detergentes comerciais suaves e não enzimáticos e enxágue cuidadosamente, ou tente as descartáveis, por mais ou menos uma semana. Estudos mostraram que fraldas descartáveis causam menos assaduras que as de pano; portanto, elas não são uma má opção.
2. Use sabonete neutro no bebê, como o de glicerina.
3. Se não houver melhora, consulte o seu médico. Ele pode prescrever um creme para ser usado a cada troca de fralda.

Uma vez que a assadura tenha melhorado, use um creme para proteger a pele.

Assadura nas áreas úmidas

Essas assaduras tendem a ser piores nas dobrinhas da pele, embora possam se espalhar de modo uniforme, por toda a região da fralda.

➡ *Tratamento*

Use a mesma abordagem indicada para as assaduras de contato, mas lembre-se de que essa assadura pode ser causada por sapinho, ou o sapinho pode aparecer como infecção secundária.

1. Use um creme antifúngico. Se não melhorar em mais ou menos um dia, consulte o seu médico. Ele poderá prescrever algum creme de hidrocortisona com agente antifúngico.
2. Se essa assadura ou a de contato não desaparecerem, pare de usar lanolina, que está presente na maioria das loções de limpeza dos bebês.

Nádegas escoriadas

Essas assaduras podem ocorrer em volta do ânus e parecer uma queimadura, que é exatamente o que elas são. São, em geral, causadas, nos primeiros dias, pelas fezes líquidas de bebês que mamam. As fezes desses bebês são muito ácidas, especialmente se forem espumosas ou líquidas, por causa do ácido lático da lactose que sobrou, podendo queimar as nádegas.

➡ *Tratamento*

1. Troque frequentemente a fralda do bebê.
2. Coloque na área da assadura uma fina camada de pomada, antes de colocar novamente a fralda.
3. Deixe a região exposta ao ar, quando puder.

Eczema

"Eczema" significa "descamação". Essa erupção acontece de uma forma branda nas bochechas de muitos bebês, geralmente a partir da quarta semana de vida. É chamada de "eczema seborreica", e se deve às glândulas sudoríparas que estão se adaptando à vida do lado de fora do útero. A pele das bochechas começa a ficar áspera, vermelha e manchada; a erupção pode se espalhar para trás das orelhas e para o peito. Muitos bebês também desenvolvem descamação da pele embaixo do cabelo e das sobrancelhas.

Também existe uma forma mais grave de eczema, que geralmente ocorre em famílias que são atópicas, ou seja, famílias que têm tendências alérgicas. O bebê pode ter uma descamação mais intensa e rachaduras na pele, e em uma área grande. Além disso, o exsudato e a vermelhidão causados pela infecção na parte superior do corpo podem ocorrer especialmente atrás das orelhas, na nuca, no rosto e no peito. É uma irritação que pode coçar muito. Geralmente desaparece, mais ou menos, nos seis primeiros meses.

Ocasionalmente, esse tipo de irritação tende a durar por mais tempo, até mesmo se transformando no tipo de eczema de adultos, quando a criança cresce.

◆ *Tratamento*

O tratamento é voltado a diminuir a atividade das glândulas sudoríparas.

1. Pare de lavar o seu bebê com sabonete, no banho. Use produtos neutros. Se a irritação for grave, limite o banho a cerca de duas vezes por semana.

2. Pare de usar loções e cremes de bebê. Hidrate a pele com produtos à base de glicerina e consulte o pediatra.
3. Tente não usar esponjas de fibras sintéticas ou lã perto da pele do bebê.

Se o eczema não for suave, procure o médico.

Dermatite seborreica

É o eczema do couro cabeludo, ou das sobrancelhas.
Se o caso for mais sério, leve o seu bebê ao médico. Provavelmente, o médico receitará creme esteroide e banhos limitados.

Cera de ouvido

Às vezes, depois de algumas semanas, os bebês começam a produzir cera líquida nas orelhas, que mancha o travesseiro. Geralmente, ela é proveniente dos canais auditivos, que ficam molhados no banho e não secam o suficiente. Então, o ouvido produz mais cera, para se proteger. O problema é que um canal auditivo úmido e quente é o lugar ideal para as bactérias da pele se multiplicarem; portanto, o ouvido também pode ficar infectado e com um cheiro desagradável.

Depois do banho, se a parte de dentro do ouvido ficar molhada, pegue uma bolinha de algodão e dê uma giradinha delicada dentro do canal. Não cutuque o ouvido com alguma coisa dura, como um cotonete.

Excesso de sol

A luz do sol realmente deveria vir com um aviso: "com superexposição ao sol, a radiação pode ser nociva para sua saúde. Mesmo em uma dosagem suficiente, pode ser letal."

Banhos de sol são bons para as pessoas que:

- vivem no hemisfério norte, onde a radiação é menor;
- têm uma dieta pobre em vitamina D; e
- têm pigmento da pele escuro.

É muito triste ver bebezinhos tomando banhos de sol pelados, nas praias: sem mencionar a possibilidade futura de câncer de pele, os bebês podem se queimar gravemente, em alguns minutos.

> *Quando o seu bebê for para o sol, ele sempre deve estar com protetor solar na pele exposta e deve usar um chapéu ou um boné com aba.*

Quando o seu bebê for para o sol, ele deve estar sempre com protetor solar na pele exposta, já que os protetores solares para bebês são completamente seguros, e devem usar um chapéu ou um boné com aba.

Os dias de adoração ao sol estão contados. Com certeza, logo será moda ter pele de porcelana e sem rugas, até os 60 anos!

A CANDIDÍASE (SAPINHO)

O sistema imunológico dos bebês é imaturo, e muitos deles não são capazes de combater infecções de um fungo ambiental comum, chamado *Candida albicans*, mais conhecido como sapinho. Geralmente ocorre na boca, e parece coalhada de leite grudada do lado de dentro da bochecha. Mas, ao contrário do leite, é difícil de limpar. Também pode aparecer nas gengivas e no palato do bebê; entretanto, uma camada branca na língua normalmente não é sapinho. O sapinho pode causar dor, mas a maioria dos bebês é bastante tolerante a isso, e só raramente causa problemas na alimentação.

- *Tratamento*

  1. O fungo pode ser removido por medicamento antifúngico, aplicado na boca do bebê depois da alimentação.

2. Também vale a pena colocar um pouco de pomada antifúngica no seu mamilo, depois da amamentação, para interromper a infecção cruzada.
3. Se você está dando a mamadeira, tenha muito cuidado na hora da esterilização.

O sapinho nunca é resistente a esses agentes antifúngicos, mas, às vezes, é difícil erradicá-lo, devido à constante reinfecção do equipamento de alimentação. Portanto, seja mais cuidadosa do que o normal na esterilização das chupetas, mamadeiras e bicos, até que a infecção comece a ficar sob controle.

Refluxo

— Meu bebê vomita toda hora e coloca para fora tudo o que ingere.
— Ele está engordando normalmente?
— Sim, mas...

A mãe do bebê que tem refluxo gastroesofagiano pode ser reconhecida pela expressão cansada no seu rosto, a fralda permanentemente no seu ombro e o cheiro de leite azedo que a acompanha, aonde ela for.

O vômito frequente é incômodo, e pode ser desmoralizante. Todo aquele leite lindamente produzido depositado no ombro do seu vestido, ou guardado para as calças do papai, quando ele chega em casa! O vômito pode ser sem esforço ou projetado, e o bebê vai sempre ter fome, depois.

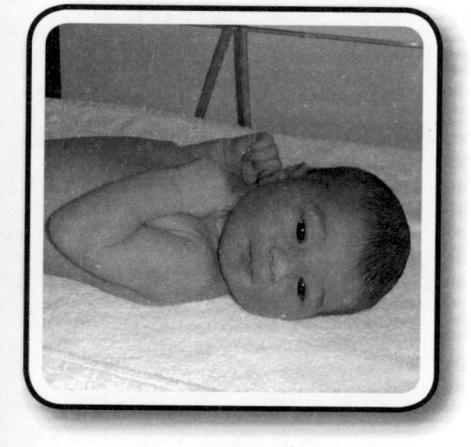

Todos os recém-nascidos têm um certo grau de refluxo. Existe uma válvula entre o esôfago e o estômago que funciona mal nos recém-nascidos; portanto, o leite pode subir e descer pelo esôfago como um ioiô, depois da alimentação. Em alguns bebês, o leite sai da boca, e em outros não. O refluxo pode se tornar problemático quando:

- a quantidade de vômitos se torna mais que incômoda;
- o bebê não engorda o suficiente;
- as pessoas reclamam que o bebê está chorando quando vomita, dizendo que ele tem azia.

Não entre em pânico – a maioria dos bebês supera os problemas de refluxo normalmente, nos primeiros quatro meses. A questão é: você consegue esperar todo esse tempo?

Também existe um conjunto de evidências que sugere que os sintomas do refluxo são vômito e vômito. Não é dor nem irritabilidade. Essas são geralmente causadas por outros problemas, que podem aumentar a quantidade de vômitos e encobrir o problema. E "refluxo silencioso", que causa irritabilidade sem vômito, é um fenômeno raro em bebês com menos de três meses de idade.

- *Tratamento*

1. A primeira coisa a ser feita é ajustar a posição de descanso do bebê. A melhor postura, para esvaziar o estômago e manter a comida o mais longe possível do esôfago, é o bebê virado do lado direito e com a cabeça levantada em um ângulo de, aproximadamente, 30 graus com relação ao corpo. Para os casos mais sérios, pode valer a pena colocar um calço no pé do berço, no lado da cabeceira.
2. Alguns médicos recomendam que se use um antiácido para reduzir a irritação na parte inferior do esôfago, após cada alimentação; alguns até prescrevem uma medicação que faz parar a produção de ácidos do estômago.
3. Se o refluxo for sério no bebê que toma mamadeira, definitivamente vale a pena engrossar o leite. Os fabricantes de leite artificial agora produzem leites artificiais "AR", anti-refluxo, que já são engrossados. Mais tarde, a introdução dos sólidos pode fazer a mesma coisa.
4. Muito raramente, é necessária uma operação que faz com que a válvula seja mais eficiente.

Ação dos intestinos

Aqueles que não têm filhos podem achar difícil de acreditar, mas os pais podem discorrer poeticamente sobre a qualidade e a quantidade de cocô dos seus bebês. O mais estranho é que as comparações são sempre culinárias, como "pasta de amendoim", "leite condensado" ou "caroços de frutas".

Bebê amamentado

Para um bebê que é amamentado, uma vez que o mecônio já tenha saído e que o leite tenha entrado, qualquer coisa, entre 20 vezes por dia a uma vez a cada duas semanas, é normal. As fezes podem ser amarelas, verdes ou marrons, ou qualquer combinação dessas cores. Podem ser fluidas, pastosas ou em carocinhos. Para os bebês que são amamentados, nunca são duras. Nunca conheci um bebê normal que fosse amamentado e que tivesse constipação, ou seja, fezes duras; vale lembrar que constipação não significa fezes infrequentes.

Se você está preocupada que o seu bebê não defeca há vários dias, quando ele fizer, cheque a consistência. Se for qualquer coisa, menos bolinhas de coelhos, está normal.

> Os bebês que são amamentados e que fazem cocô com intervalos longos podem parecer desconfortáveis no dia em que conseguem fazer, ou até no dia anterior. Logo você conhecerá os padrões do seu bebê e irá aceitá-los como normais. Eles nunca precisam de ajuda para fazer cocô com mais frequência. Portanto, deixe de lado os supositórios, as massagens abdominais e os sucos de ameixa. Pense em todo o dinheiro que você está economizando em fraldas!

Se o seu bebê está fazendo um cocô solto, com frequência, de uma coloração amarelada e opaca, ele está soltando um pouco de lactose nas fezes. Os bebês podem soltar até 10g por litro de lactose, nas fezes. É normal e não indica que o seu bebê tenha intolerância a lactose.

O único tipo de fezes que deve causar preocupação é o tipo fluido como urina. Sob essas circunstâncias, é aconselhável procurar ajuda médica, pois o bebê pode ter uma gastroenterite. Os bebês que são amamentados são imunes a gastroenterites bacterianas, mas podem ter uma forma viral da doença.

Bebê que toma mamadeira

Os bebês que tomam mamadeira tendem a ter fezes firmes e a fazer cocô entre quatro vezes por dia e uma vez a cada dois dias. A coloração varia do marrom e verde até o amarelo Van Gogh.

Certamente, é possível, para os bebês que tomam mamadeira, ficarem constipados; isso é mais indicado pelas fezes duras do que pela infrequência delas. Se as fezes são firmes e duras, adicione açúcar mascavo, uma ou duas colheres de sopa, na mamadeira do bebê, ou ofereça a ele um pouco de suco de ameixa; normalmente isso é suficiente para amolecer as fezes. Algumas vezes, suco de laranja bem diluído e bastante água ajudam. Não use supositórios no seu bebê sem a autorização do médico, porque quase nunca é necessário.

Diarreia

Fezes soltas e aquosas, em qualquer bebê, é um problema que deve ser tratado com atenção, porque pode indicar uma gastroenterite. Mesmo os bebês que só são amamentados podem ter o problema, principalmente causado por um vírus chamado rotavírus.

> Então... eu fiz essa depois do nascimento do meu menino.

Diferente das fezes soltas de muitos bebês que são amamentados, as fezes que indicam a diarreia são parecidas com a urina e lembram água. Se você estiver insegura, pergunte ao seu médico. O principal perigo da diarreia é a desidratação, que pode ocorrer rapidamente, porque o corpo do bebê possui apenas pequenas reservas de fluidos. Se o seu bebê estiver molhando três fraldas por dia, não existe perigo imediato.

Leve o bebê ao pediatra de qualquer jeito, pois é um problema que precisa de atenção médica. Leve uma amostra das fezes com você. Para coletar, coloque a fralda junto com um plástico, assim o fluido é recolhido. Se você tiver que esperar muito pelas fezes, ele provavelmente está bem de qualquer jeito!

Os bebês amamentados podem continuar a ser alimentados normalmente; os que tomam mamadeira podem se beneficiar trocando o leite artificial por outro, sem lactose.

Assimetria da cabeça

Agora que nós colocamos os nossos bebês de barriga para cima para dormir, a incidência da Síndrome da morte súbita diminuiu enormemente. Mas existe um pequeno lado negativo dessa posição de dormir. Com uma certa frequência, a cabeça dos bebês desenvolve uma forma assimétrica, com um achatamento de um lado atrás da cabeça e uma pequena saliência na frente. O nome médico para isso é "plagiocefalia". Não causa nenhum dano no cérebro, mas conforme o tempo passa, vai ficando muito evidente. Por que isso acontece?

A cabeça do bebê cresce em uma velocidade fenomenal, cerca de um centímetro a cada quinzena, nas primeiras semanas.

Desde o começo, os bebês preferem olhar para um lado, especialmente quando estão dormindo. Talvez seja a direção que estavam virados no útero, talvez seja porque a mãe carregue o bebê do lado esquerdo, onde as batidas do seu coração podem ser ouvidas. Muitos bebês também gostam de olhar para a luz; portanto, o seu bebê pode estar olhando para a janela do quarto.

Qualquer que seja a razão, o bebê pode olhar mais para uma direção do que para outra. O crânio do bebê é bem fino, com 1 a 2 mm de espessura, e contém um cérebro pesado. Quando você combina essas coisas, é fácil entender por que a cabeça cresce assimetricamente: a parte de trás da cabeça do lado pesado se torna chata e a testa oposta começa a apresentar uma saliência para a frente.

Com seis semanas de idade, isso pode ficar bastante óbvio, especialmente se você olhar por cima da cabeça do bebê.

Os pais ficam bastante surpresos quando alguém mostra para eles o quão deformada está ficando a cabeça do bebê.

A boa notícia é que, agindo corretamente, a cabeça pode reassumir a forma certa, em pouco tempo. Você só precisa mudar a postura do bebê para que a cabeça dele fique virada para o outro lado:

- Mude o berço de lugar, de forma que a janela esteja na posição que você deseja que o bebê olhe.
- Faça um pequeno rolo com fraldas e coloque embaixo do ombro do bebê, do mesmo lado em que está achatado. Isso fará com que a cabeça vire para o lado oposto.
- Posicione o bebê mais de lado, mas tenha cuidado: alguns bebês colocados de lado, segundo um estudo clínico, acabam ficando de barriga para baixo, que é uma causa importante de morte do berço. A postura de lado do bebê deve ser bem leve, de modo que, se ele se mexer, vai rolar e ficar de barriga para cima, e não para baixo.

Vale a pena fazer isso. A cabeça cresce muito rápido nos primeiros meses, e irá remodelar o achatado, rapidamente. E também, nos primeiros meses, você tem controle sobre a posição de dormir do bebê. Depois de cinco meses, você não tem mais: ele vai dormir do jeito que quiser!

Existem mais duas razões para a assimetria da cabeça; portanto, é sempre uma boa ideia levar o seu bebê para fazer um *check-up* no médico. As razões são:

1. o seu bebê pode ter um tumor no esternomastoide. Antes que você entre em pânico, a palavra "tumor" significa "caroço" e, e nesse contexto, não tem nenhuma ligação com câncer. Um tumor no esternomastoide é um inchaço no músculo que liga o esterno, o osso do peito, ao processo mastoide no crânio, atrás da orelha. Esse músculo pode ser distendido e machucado durante o parto, o que pode provocar o inchaço e o encurtamento do músculo. Isso também pode fazer com que o bebê prefira olhar para o lado oposto do músculo encurtado. É uma condição que, normalmente, requer fisioterapia para esticar o músculo, mas melhora em algumas semanas.
2. O seu médico pode querer fazer um raio-X do crânio assimétrico do seu bebê. Existem casos raros em que tal assimetria ocorre devido a suturas, ou juntas, na parte de trás do crânio, que se fundem muito cedo.

Mas lembre-se, não importa o quão estranha esteja a cabeça do seu bebê, isso não prejudica o cérebro.

Perguntas e respostas

Sendo mãe de primeira viagem, essa é, por definição, uma experiência nova, cheia de tarefas para serem aprendidas e problemas para serem resolvidos. Pensando assim, não existem perguntas idiotas. Use as perguntas a seguir como base para formular as suas próprias, fazendo uma lista conforme elas lhe ocorrem.

P.: Se ele vomitar um pouco do que mamou, devo dar de mamar, de novo?

R.: Isso depende dele. Se ele estiver querendo sugar, dê de novo; se se não parecer que ele está com fome, espere que ele exija outra mamada, antes de colocá-lo novamente no peito.

P.: Devo limpar as orelhas do meu bebê? Existe uma maneira segura de fazer isso?

R.: Não é uma boa ideia afundar as orelhas do seu bebê na água, pois o canal auditivo é um local difícil de secar e pode se infectar. Se ficar molhado, irá produzir muita cera, e as bactérias podem se multiplicar e causar um corrimento malcheiroso. Seque o canal com uma bolinha de algodão. Só limpe a parte da orelha que você consegue ver. Não introduza nada rígido, como um cotonete, dentro do canal auditivo.

P.: Quando eu devo levá-lo ao posto de saúde?

R.: Os primeiros bebês devem, provavelmente, ir uma vez por semana para começar, até que o ganho de peso esteja estabilizado, e depois com a frequência que você desejar. Para os bebês seguintes, visitas quinzenais são normalmente suficientes.

P.: Como vou saber se o meu bebê já mamou o suficiente?

R.: Ele vai parar de sugar e pode cair no sono, mas não necessariamente. Se ele dormir, não o acorde para fazê-lo arrotar; coloque-o no berço.

P.: Quantas fraldas molhadas eu devo esperar por dia?

R.: Os bebês que estão sendo bem alimentados usam de cinco a doze fraldas por dia. Se ele usar apenas duas, avise seu médico.

P.: Como eu devo lidar com a ponta do cordão umbilical? Vai sangrar? Quando e como vai cicatrizar e cair?

R.: Lembre-se de que o seu bebê não sente dor na ponta do cordão umbilical (nós o cortamos com uma tesoura no parto!), portanto, mexer nele não causará nenhum desconforto. Geralmente sangra um pouco nos primeiros dias depois do nascimento, mas, em geral, é só o refluxo

> de algumas veias coaguladas dentro do cordão, e não sangue do bebê. O cordão vai secando e se separa da base. Esse processo pode durar de quatro dias a seis semanas.
>
> **P.: Devo limpar a área dos genitais do bebê? Como? Devo puxar o prepúcio para trás ou é melhor não mexer?**
> R.: MENINOS: não puxe o prepúcio para trás até que ele tenha se separado da mucosa embaixo dele; aí será mais fácil. Pode demorar um ano ou mais. Deixe que ele mostre a você; ele vai brincar com isso no banho e mostrará a você o quanto pode puxar, sem dor.
> R.: MENINAS: separe gentilmente os lábios externos e passe uma bolinha de algodão molhada, da frente para trás da vulva, sempre que seja necessário limpá-la. Desconsidere o frequente conselho que lhe dão de que você não deve lavar a vulva. O conselho quer dizer "não cutuque dentro da vagina com coisa alguma, para limpá-la".

O meu bebê está doente?

Suspeitar que seu bebê está doente é o sentimento mais agoniante que você pode ter. Use essa lista para ver se a sua preocupação é real ou se é apenas uma síndrome de superansiedade materna! Confie nos seus instintos, e se você não tiver certeza, faça com que ele seja examinado antes que a noite chegue. À noite, tudo parece pior, além de você não conseguir achar um médico com tanta facilidade.

Febres, tosses e resfriados

Não é comum que os recém-nascidos; que são amamentados; tenham infecções do trato respiratório superior, como tosses e resfriados, porque existem substâncias antivirais no leite materno que os protegem. Na verdade, em casos de infecção do ouvido médio, ou otite média, o efeito dessas substâncias parece durar mesmo depois de o bebê ter sido desmamado, ainda que só tenha sido amamentado por poucas semanas.

O que não quer dizer dele não vá fungar.

Apesar disso, é possível que ele tenha um resfriado, especialmente se o irmão ou a irmã mais velha dele brinca com amiguinhos ou vai para a pré-escola e traz para casa todas as viroses que estão por perto. Se o seu bebê está fungando e tem febre, provavelmente é devido a uma infecção viral. A temperatura normal, medida debaixo do braço do seu bebê, é 36,5°C. Qualquer temperatura acima de 37°C é importante. Para medir a temperatura do seu bebê, use um termômetro de mercúrio ou um digital, embaixo da axila.

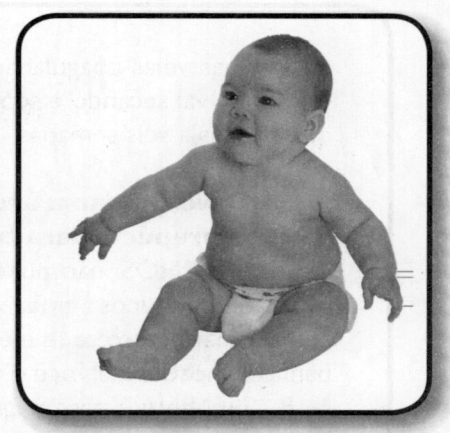

Se o seu bebê estiver resfriado, gripado ou com uma tosse suave, simplesmente trate os sintomas. Essas doenças são causadas por vírus, e não existem drogas ou antibióticos que matem vírus. Você precisa esperar que o sistema imunológico do bebê resolva o problema, sozinho.

- Febres acima de 38,3°C devem ser definitivamente tratadas apropriadamente: leve o bebê ao médico. Se o bebê estiver com uma doença viral, a febre deve continuar alta. Hoje em dia, nós sabemos que a febre tem a sua função e que, se não for abaixada, a doença dura um pouco menos. Entretanto, a diferença de tempo é pequena.
- Se o bebê estiver com o nariz tapado, o suficiente para interferir com a alimentação, uma gota de solução fisiológica, a mesma usada para limpar lentes de contato, ou descongestionante nasal, pode desentupir o nariz por tempo suficiente para terminar a alimentação. Pode ser uma boa ideia levá-lo ao médico, para ter certeza de que não é uma infecção de ouvido médio ou do peito.

Infecções respiratórias virais normalmente se curam sozinhas em poucos dias, mas se o seu bebê desenvolver uma respiração chiada, uma tosse que parece uma foca latindo ou um fumante tossindo, consulte o médico, imediatamente.

Quando chamar o médico

Os bebês têm incontáveis maneiras de preocupar os pais. Portanto, é importante lembrar que existe uma série de comportamentos normais. Todos os pais de primeira viagem são naturalmente ansiosos sobre a saúde do seu bebê, e é muito fácil exagerar.

Entretanto, se o seu bebê exibe algum dos sintomas ou sinais seguintes, peça ao médico para examiná-lo.
- A frequência respiratória do bebê está acima de 60 respirações por minuto, há mais de cinco minutos.
- A temperatura do bebê está acima de 38,3°C ou abaixo de 36°C.
- Síncopes ou convulsões.
- Menos de duas fraldas usadas por dia.
- Aumento da icterícia, depois da primeira semana de idade.
- Óbvias manchas de sangue na urina ou nas fezes, depois da primeira semana de idade.
- O bebê parece pálido.
- O bebê parece entorpecido e indiferente.
- O bebê está mole.
- Recusa a alimentação ou toma menos que a metade do normal, há algumas mamadas.
- Diarreia aquosa, combinada com vômitos.
- Vômito projetado, repetido.
- Vômito com bile.
- Inflamação vermelha e simétrica em volta da base do cordão umbilical.
- Assadura óbvia e generalizada na região da fralda, maior do que 5 cm por 5 cm.
- O bebê está com dificuldades para respirar, mas não está fungando ou com sons do trato respiratório superior.
- Tosse parecida com um latido.
- Unhas das mãos ou dos pés azuladas, depois do primeiro dia.
- Choro incomum e excessivo.
- O bebê não mexe os membros simetricamente.
- O bebê não parece bem.

# Capítulo 13

Cólica e o bebê que chora

É difícil encontrar pais que não saibam o que é uma cólica, e todos eles têm uma pequena teoria sobre como resolver isso. "Tente massagear a barriga, no sentido horário, com azeite aquecido", ou então, "coloque o bebê de barriga para baixo, em cima de um rolo de macarrão, e o role até que os gases saiam". Coitados dos pais. Coitados dos bebês.

Todos os bebês, mesmo aquele bebê perfeito da vizinha, passam por períodos de comportamento inquieto, nas primeiras semanas. Tal irritabilidade cobre um espectro completo: desde a maioria, que tem um momento de inquietação por noite, até aqueles que choram até o teto cair, por horas seguidas.

Antes de pular para o diagnóstico

Cheque o peso do bebê: o pequeno chorão pode estar com fome. Às vezes, é difícil para as mães que estão amamentando saber quanto os bebês estão mamando, durante as alimentações. Na verdade, o sistema foi projetado para ela não saber, de forma que o peito e o bebê se regulem, sem que haja interferências. Entretanto, ocasionalmente pode haver a combinação de um bebê tolerante e de um peito que produz pouco. Conforme o bebê cresce, a situação se deteriora, e a inquietação começa.

Os bebês devem engordar, pelo menos, 160g por semana. Muitos bebês atingem cerca de 180 a 200g ou mais. Se o bebê está engordando menos que isso e está inquieto, nem pense na cólica até que a questão da alimentação seja resolvida. Converse com o pediatra; você pode precisar reforçar o suprimento ou considerar uma alimentação complementar.

> *A cólica pode ser uma razão secundária para o comportamento inquieto, mas a fome é a primeira coisa que precisa ser verificada.*

Um retrato da cólica

Na sua pior manifestação, a cólica pode enlouquecer uma família. O bebê tem períodos prolongados de choro agoniado, levantando os joelhos, contorcendo o rosto e olhando para o mundo todo como se estivesse com uma terrível dor de barriga. Os episódios são muito característicos e aumentam e diminuem sem causa aparente. Os movimentos do bebê são bruscos e erráticos, ele olha rapidamente para pontos do quarto, suas mãos fazem movimentos bruscos e se fecham no ar, e os seus gritos cortam o ar como uma faca.

Isso pode começar à tarde para atingir o auge à noite; pode, até mesmo, acordar de sobressalto o bebê que estava dormindo e anunciar horas de choro. Logo a atenção da família inteira está concentrada em achar a causa da agonia e resolvê-la. Geralmente a busca é inútil; às vezes, parece que até piora a situação. Entretanto, o papai acha que o bebê se acalma quando o levam para passear de carro e a mamãe percebe que ele melhorou com o barulho do aspirador de pó, que foi ligado em algum lugar por perto.

Quando se pensa (o que é difícil com o bebê chorando), parece que começou depois que os parentes chegaram e ele ficou passando de mão em mão; ou depois daquele almoço em que todas as mulheres ficaram loucas por ele. De qualquer jeito, foi perto da quarta semana de idade, logo depois que o seu sorriso apareceu...

Depois de algumas semanas, com todos da família enlouquecendo, o casamento arruinado, o carro sem combustível, o bebê para na mão de um profissional. Nem sempre é uma boa ideia...

É quando começam os diagnósticos: "cólica", "gazes", "refluxo", "intolerância a lactose". Cada diagnóstico tem um tratamento, e cada tratamento é mais complicado que o anterior e, de qualquer jeito, nenhum deles funciona.

No fim, os pais, exaustos e desmoralizados, não amamentam mais, mal falam um com o outro e estão desesperados para dormir, perdendo a esperança de uma vida tranquila.

E então, o bebê, de repente, pára de gritar. Ele tem três meses de idade agora e dorme como um bebê. Esta é a chamada "cólica dos três primeiros meses".

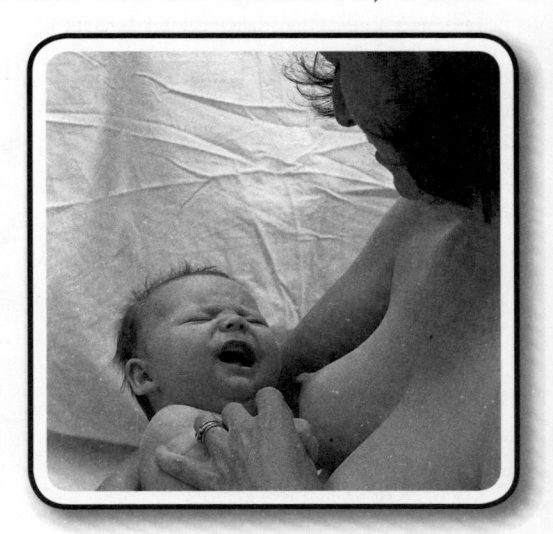

Escolhendo o momento: cólica "dos três primeiros meses" ou "da noite"

O cenário tende a aparecer logo depois que o bebê começa a sorrir, com cinco ou seis semanas de idade e, em muitos, desaparece misteriosamente, lá pelos três meses. Por que esse incômodo aparentemente físico tem um período tão específico? E por quê, por exemplo, começa primeiro à noite, quando é chamada de "cólica noturna", se o intestino está ativo o tempo todo? Por que os bebês que mamam leite materno, o alimento mais puro do mundo, aparentemente sofrem dores terríveis no intestino? Por que os bebês melhoram temporariamente com a alimentação, ou sendo confortados, ou com banhos quentes, mas não com analgésicos?

Não é dor de barriga

Recentemente, pediram-me para falar, em um grande simpósio, sobre cólica. Havia aproximadamente 20 oradores de cada disciplina envolvidos no "caso do bebê que grita": neonatologistas, pediatras, psicólogos, psiquiatras, gastroenterologistas, terapeutas ocupacionais, fisioterapeutas... Estavam todos lá. Foi um dia interessante e nós trocamos opiniões sobre como lidar com uma grande plateia. Entretanto, a coisa mais interessante para mim foi o fato de que **ninguém mencionou a dor abdominal quando se discutiu a causa do desconforto do bebê**. Para esse grupo experiente, era ponto pacífico que qualquer que fosse a síndrome, não tinha nada a ver com a barriga do bebê.

Um jornal científico publicou um artigo, uma vez, referindo-se a isso como **C**ausa **O**bscura, **L**ongo **I**nfantil **C**horo de **A**gonia, convertendo a palavra em um acróstico, para distrair as pessoas dos aspectos intestinais da condição.

A resposta está bem longe de uma simples dor de barriga, mas é sutil.

> Meu marido descobriu que a única maneira de fazer o bebê parar de chorar era colocando-o dentro do carro e levando-o para passear. Em uma noite em que ele estava particularmente ruim, ficamos dando voltas no quarteirão para ver se ele melhorava. Infelizmente, ficamos passando na frente de um radar. Ele recebeu trinta multas; mas nós estamos recorrendo de todas.

A CAUSA DA CÓLICA

Para ilustrar, vamos avançar três meses, para quando o nosso berrador já tenha se recuperado. Agora ele tem quatro meses de idade.

Ele dormiu bem e não está com fome. Está sentadinho, olhando em volta. De repente, ele vê a mãe do outro lado do quarto. Seus olhos se iluminam e ele começa a fazer barulhos e a mexer os braços, em uma tentativa de chamar a atenção. Não demora muito. A mãe para o que estava fazendo e os seus olhos encontram os do seu adorável bebê. Ela é atraída para ele como se estivesse presa com uma corda. Ela se senta à sua frente. Eles se olham com admiração e rapidamente ficam envolvidos um pelo outro. A conversa começa, a mãe falando sem muito sentido, e o bebê respondendo no melhor sentido que pode ter um bebê. A excitação deles aumenta, conforme a interação se torna mais intensa.

E, então, justo quando a conversa chega em um ritmo excitante, o bebê de repente se desliga, olha para outro lado, e dispensa a mãe. Ele olha para as próprias mãos, com os ombros tensos. Depois de um momento, a mãe percebe que a atenção dele está em outro lugar e ela volta ao que estava fazendo antes.

O bebê está bem durinho, sentado. Gradualmente, os seus ombros relaxam, conforme ele se acalma. O tempo passa. Ele dá uma rápida olhada para a mãe, e então desvia o olhar, direcionando-o novamente para a própria mão. Logo as suas olhadas para a mãe se tornam cada vez mais longas e o seu corpo relaxa devagar. E começa tudo de novo. Ele começa a fazer barulhinhos, balança os braços e consegue arrastar a mãe de volta. Atração, rejeição, atração, rejeição... se seguem em um ciclo quase mecânico.

O que está acontecendo exatamente?

O bebê atrai a mãe e a excitação dos dois cresce, conforme a estimulação da interação aumenta. Então, a excitação chega a um nível que o bebê acha desconfortável, portanto, ele se desliga e se acalma. Os gatos fazem a mesma coisa: eles saem de uma briga e começam a se lamber, para recuperar o controle emocional e se acalmar. Isso é chamado de "atividade de substituição".

Portanto, o bebê fica cada vez mais excitado e mais estimulado, até que não possa mais aguentar. Então, ele se desliga da causa do estímulo e se acalma. O bebê descobre isso com cerca de três meses de idade. É um marco no desenvolvimento, como sorrir ou andar. O bebê não pode aprender a agir assim até que esteja pronto.

Quatro semanas: o início do problema

Por que a cólica geralmente começa com quatro semanas? Nas primeiras quatro semanas, o bebê está mais interessado em calor, peitos, leite e na mãe. Então, uma semana antes de o bebê sorrir, conforme a distância focal dos seus olhos melhora, ele começa a olhar em volta e tomar conhecimento do ambiente. É a primeira vez que ele começa a prestar atenção às coisas em volta. Ele fica especialmente atraído por rostos ou olhos, e vai segui-los com o olhar. Ele vai começar a observar o móbile acima do berço e a cortina balançando na janela.

Nessa fase, qualquer adulto (especialmente se for a avó!) olha intensamente para ele, e os olhares se encontram. O nível de excitação aumenta, conforme ele fica estimulado por tais coisas a sua volta. A estimulação logo cresce em um nível que faz com que ele se sinta desconfortável, mas, infelizmente, ele ainda não desenvolveu a habilidade de se acalmar, e não sabe como lidar com o crescente desconforto.

Lidando com o desconforto

Como os bebês lidam com o desconforto?

◆ Chorando

Primeiro, eles choram. Chorar é um fator que ajuda a desestressar os seres humanos e, como técnica calmante, geralmente funciona bem. Entretanto, no caso dos bebês, não é tão eficiente, pois faz aumentar a atenção e a estimulação da família. As pessoas costumam pô-lo no colo, olham de perto e passam-no de mão em mão, balançando e sacudindo: toda essa atividade faz com que ele tenha mais gazes e piora a situação, em vez de melhorar. O choro se torna uma lamentação, conforme o esforço para acalmá-lo se torna ainda mais frenético. Ele não consegue dormir porque está excitado demais, e logo se torna supercansado.

◆ Tensão

Os músculos do bebê ficam tensos. Ele começa a se contrair, chutar e gemer. Logo ele é levado ao médico, pois parece estar constipado, apesar de as fezes estarem com a consistência e a frequência completamente normais. A mãe pode até aparecer no consultório do médico armada com um gravador, com o som do seu filho gritando e gemendo, para que ele acredite.

◆ Sugar como conforto

O que mais um bebê pode fazer? Bem, ele pode sugar. Sugar é uma boa forma de os bebês relaxarem, e eles sabem disso. Portanto, ele começa a mamar, mamar e mamar. Por ser culturalmente normal um bebê comer e dormir seis vezes por dia, ele rapidamente desenvolve um choramingo a cada meia hora, exigindo usar o peito como calmante. O seu peso aumenta. Mas, ainda mais importante, o aumento do volume mamado tem outros efeitos que confundem quem cuida dele.

> *A prática de fazer o bebê arrotar é provavelmente desnecessária. A válvula entre o esôfago e o estomago é tão fraca nos recém-nascidos que não consegue segurar o leite, muito menos uma bolha de ar.*

Os efeitos do aumento de volume mamado que podem confundir quem cuida do bebê são:

1. Mais mamadas resultam em mais lactose. Logo, ele terá tanta lactose, o açúcar do leite, que o seu pequeno intestino não conseguirá absorver tudo. O excesso de lactose escapa para o intestino grosso, que contém germes para agir nela, fermentando-a e produzindo volumes de gás hidrogênio e ácido lático. O gás distende o intestino e ele começa a produzir numerosas fezes gasosas e explosivas por dia. Ele solta puns como um cavalo. O ácido lático queima a pele do seu traseiro. Logo ele é levado para o médico. O médico diagnostica intolerância à lactose e sugere que se pare a amamentação e dê a ele um leite artificial sem lactose. Isso é completamente desaconselhável.
2. Mamar mais significa que o estômago fica muito cheio. Com o estômago cheio, o bebê tenso naturalmente vomita, vigorosa e frequentemente. Ele é levado ao médico, que diagnostica refluxo gastroesofágico e pode começar uma investigação no hospital, antes de prescrever vários medicamentos, dos quais o mais inofensivo é o antiácido que deve ser dado depois das refeições.
3. "Gases". Bem antes disso, disseram aos pais que o bebê tinha "gases". Já os advertiram para não fazer o bebê arrotar efetivamente e também ensinaram algumas técnicas de "como fazer o gás sair".

A verdade é que os bebês que choram engolem ar. Como resultado, eles arrotam quando você os pega no colo. Mas lembre-se de que é o choro que causa o arroto, e não o contrário.

A prática de fazer o bebê arrotar é provavelmente desnecessária. A válvula entre o esôfago e o estômago é tão fraca nos recém-nascidos que não consegue segurar o leite, muito menos uma bolha de ar. Depois de uma mamada, o bebê só precisa ser abraçado e deitado. Se ele quiser arrotar, fará isso na hora certa.

> ## Mais sobre "gases"
>
> Lembre-se, o gás que sai pelo outro lado do bebê é hidrogênio, da fermentação da lactose. Na maioria das vezes, não é ar engolido. Se o bebê não soltar o ar do estômago arrotando, o ar será absorvido por seu organismo. Ele não passa pelo intestino para sair pelo outro lado.

O círculo vicioso da cólica

O bebê com cólica age como se estivesse preso em um círculo vicioso:

- Ele está tenso e superestimulado, e então todos o pegam. Isso faz com que ele fique muito cansado e irritável, o que faz com que o círculo continue.
- Em um esforço para se acalmar, ele inicia ciclos de superalimentação, causando refluxo de vômito e excesso de lactose nas fezes.

É assim que as manifestações físicas secundárias chamam a atenção das pessoas que cuidam do bebê: elas geralmente esquecem da causa primária.

A resposta

A situação só pode ser resolvida acalmando o bebê. Uma vez que a estimulação excessiva seja retirada e que o bebê se acalme, todos os efeitos secundários irão desaparecer normalmente. Levar o bebê para um lugar calmo, neutro e sem excitação, pelo tempo que for preciso para que ele se acalme, vai interromper o círculo vicioso.

Cólica e o bebê que chora

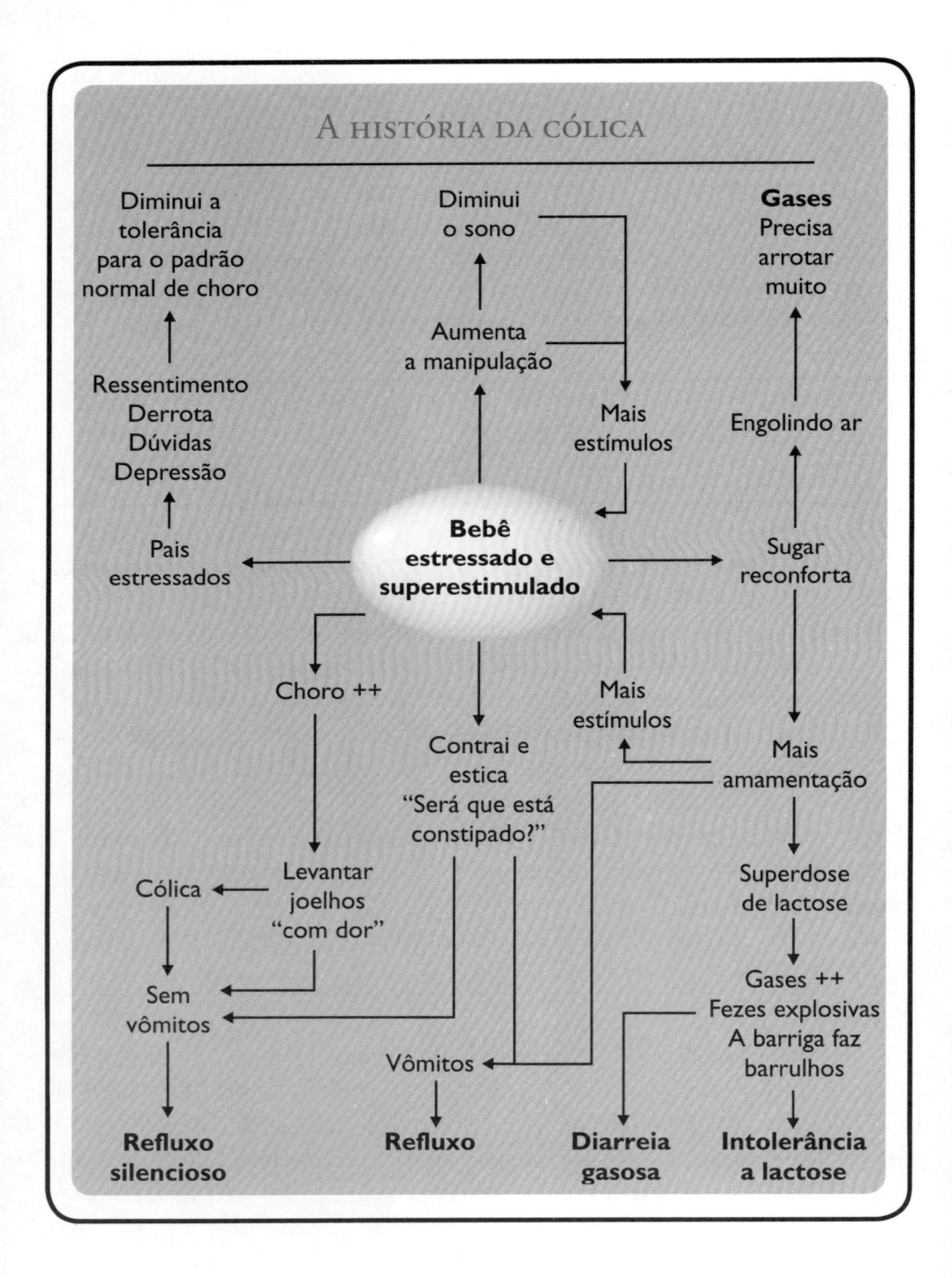

A história da cólica

- Diminui a tolerância para o padrão normal de choro
  ↑
- Ressentimento / Derrota / Dúvidas / Depressão
  ↑
- Pais estressados

- Diminui o sono
  ↑
- Aumenta a manipulação
  ↓
- Mais estímulos

- **Gases** Precisa arrotar muito
  ↑
- Engolindo ar
  ↑
- Sugar reconforta

Bebê estressado e superestimulado

- Choro ++
  ↓
- Levantar joelhos "com dor"
  ↓
- Cólica ←
- Sem vômitos
  ↓
- **Refluxo silencioso**

- Contrai e estica "Será que está constipado?"
  ↓
- Vômitos
  ↓
- **Refluxo**

- Mais estímulos

- **Diarreia gasosa**

- Mais amamentação
  ↓
- Superdose de lactose
  ↓
- Gases ++ / Fezes explosivas / A barriga faz barrulhos
  ↓
- **Intolerância a lactose**

[172]

O diagrama que você acaba de ver mostra os vários círculos viciosos em que você e o seu bebê podem entrar, quando começa a "síndrome da cólica". O bebê superestimulado e estressado chora excessivamente, portanto, a manipulação aumenta, o que estimula ainda mais o bebê, e assim por diante! As palavras em **negrito** são os diagnósticos errados, feitos enquanto tudo está acontecendo.

Acalmando o bebê

1. Vá para o quarto do bebê, feche as cortinas e diminua a iluminação do quarto. Coloque uma música calma e relaxante; isso é para você, mas os bebês gostam mais de ouvir sons familiares ao fundo do que o silêncio.
2. Leve o bebê para o quarto com você. NÃO o deixe sozinho.
3. Alimente-o, se ele quiser, na meia luz, evitando olhar muito nos olhos dele.
4. Depois de alimentado, embrulhe-o firmemente no lençol. Embrulhe-o com os braços contidos; isso fará com que se lembre de quando estava no útero e o ajudará a se sentir seguro. Ele pode querer ficar com os braços livres, mas é melhor deixá-los contidos.
5. Coloque-o no berço, de lado, olhando para a parede. Dê palmadinhas gentis no seu bumbum, cerca de 70 batidas por minuto, a frequência cardíaca da mãe, e simplesmente...
6. FAÇA COM QUE ELE DURMA DE TÉDIO.
7. Se ajudar, dê uma chupeta.
8. Se ele ficar irritado, e ele vai ficar, embrulhe-o novamente e continue dando palmadinhas ou alimente-o. Se vocês dois estiverem ficando malucos, pegue-o no colo e abrace-o. Depois, coloque-o novamente no berço, de lado, e volte a dar palmadinhas.
9. Continue assim, hora após hora, até que ele se acalme. Não deixe o bebê sozinho, chorando. Você poderá sair do quarto quando ele finalmente dormir.

Geralmente, as primeiras 24 horas são um verdadeiro inferno, mas se você insistir, as coisas vão melhorar.

No segundo dia, ele estará mais calmo. Não o leve para fora do quarto, mesmo que pareça que ele melhorou. Espere mais um dia, para ter certeza de que ele perdeu um pouco do seu estresse e da fadiga.

Quanto mais ele dorme, menos oportunidade há para ele ser estimulado, e mais ele irá dormir. Quando ele estiver calmo e sonolento, você pode voltar para a sala.

Você precisa manter a atividade e a estimulação do ambiente em um nível que ele possa aguentar. Com quanto estímulo o seu bebê consegue lidar depende do seu temperamento básico. Todos os bebês são diferentes. Existem alguns que se acalmam desde o momento em que nascem. Esses bebês podem ser levados para o trabalho e apresentados para centenas de pessoas e não se irritam. Mas muitos bebês têm um limite; você precisa descobrir qual é o limite do seu e manter o nível abaixo disso.

Bebês prematuros e estimulação

Bebês que nasceram prematuros são geralmente muito sensíveis a tudo o que está a sua volta e precisam ser manipulados gentilmente. Além disso, precisam ter restrição de horários de brincadeira e de interação

> com a família, talvez pela sua experiência prolongada fora do útero, em um estágio imaturo.
>
> Alguns dos bebês que nasceram prematuros são tão sensíveis que se você pegá-los no colo, olhar nos olhos deles e falar, ao mesmo tempo, eles choram, curvam-se para trás e se retraem. Você pode falar com eles, segurá-los ou olhar para eles, mas você não pode fazer essas coisas simultaneamente, nem com muita frequência.

"Cólica de Natal"

Muitas atividades, muitos parentes e muitas festas, no final de dezembro, significam consultório pediátrico lotado, no começo de janeiro: consultórios cheios de tensão e de bebês chorando.

Lembro-me de umas duas mães que estavam ficando loucas e me telefonaram para perguntar o que fazer. Elas estavam presas em casa com bebês que, dentro do quarto, ficavam calmos e quietos, mas, no momento em que chegavam ao portão da frente, gritavam e ficavam estressados. O meu conselho foi que elas fizessem as compras pela Internet.

> Ter trigêmeos me ensinou mais em um determinado período de tempo do que qualquer outra coisa na minha vida, especialmente a partir do momento em que, das minhas lições, dependia o bem-estar dos meus filhos. Fui abençoada com duas meninas e um menino. A minha primeira lição foi que os meninos são realmente diferentes das meninas. E aprendi isso não só com a minha experiência, mas também observando outras crianças.
>
> O meu menino, chamado Joshua, precisava de mais atenção que as meninas, desde o primeiro dia. Ele dormia muito bem, quando as meninas

estavam ao lado dele, mas sempre acordava, se ficava sozinho. O mesmo não acontecia com as duas meninas, muito independentes.

Tive uma experiência interessante quando o Joshua começou a desenvolver um aparente "ataque de ansiedade", na mesma época em que começou a enxergar coisas. As crianças mamavam a cada quatro horas, primeiro com leite materno, depois com leite artificial. A hora de mamar nunca foi um problema e cada um mamava por, aproximadamente, vinte minutos. Conforme as semanas passaram e Joshua começou a ver mais as coisas, dar de mamar a ele começou a ser um problema maior. Percebi que, como ele enxergava coisas novas todos os dias, ele começou a se sentir "soterrado", a ponto de não mais comer, apesar do seu apetite saudável. Eu sabia que não era cólica, nem refluxo, como os amigos e parentes logo disseram.

E então fui aconselhada a simplesmente alimentá-lo no escuro; mas não havia nenhum quarto escuro o suficiente na minha casa para alimentar Joshua, a não ser à noite. Eu me sentia isolada dos amigos e da família, que vinham me ajudar. Comecei a colocar uma venda nele, o que foi decisivo tanto para Joshua quanto para mim. No começo, eu usava uma fraldinha de algodão para cobrir os olhos dele, mas logo se tornou difícil manter a fralda no lugar. Mais tarde, meu marido sugeriu usar uma venda apropriada, como aquelas que você ganha no avião. Funcionou perfeitamente: Joshua passou a mamar direito, todas as vezes, e acostumou-se bem ao método.

Pouco antes de fazer cinco meses, deixou de precisar da venda. Agora ele é uma criancinha maravilhosa e fofa, de dois anos de idade.

Capítulo 14

Imunização

A imunização é um dos maiores presentes da ciência médica. É muito difícil acreditar que ainda existam pessoas que acham que a Terra é plana: podemos mostrar mapas e até fotografias do espaço a elas, mas continuam a acreditar em suas tolices. A mesma situação se repete com a imunização: há pessoas que nunca perdem uma oportunidade de impor sua opinião de que a imunização é algo inútil e até prejudicial.

Muitas vezes, a mídia é responsável; invariavelmente, ela cerca qualquer tragédia relacionada à imunização de sensacionalismo e lança acusações inadequadas. Esse fato serve apenas para reforçar os preconceitos dos ignorantes. O *lobby* da anti-imunização baseia grande parte de seus argumentos no fato de que, no ocidente, as doenças infecciosas, em geral, estavam em declínio antes da introdução da vacinação. Esse fato, em grande parte, ocorreu devido às melhorias na higiene, aos serviços de saúde pública e nutrição; contudo, os programas de vacinação exerceram um enorme impacto, independentemente dessas melhorias ambientais.

Não cometa erros. Há provas amplas e fortíssimas que mostram que a vacinação funciona. Analise os aspectos lógicos. Para acreditar nos que defendem a antivacinação, você terá de acreditar que existe uma conspiração em massa de, literalmente, dezenas de milhares de médicos e outros profissionais da área médica. Aparentemente, esses pediatras, especialistas em doenças infecciosas e imunologistas estão preparados para colocar em risco a vida dos bebês do mundo porque se comprometeram com algum conglomerado médico-industrial global, ou talvez porque foram todos, simultaneamente, enganados por suas pesquisas, igualmente falsas, e por colegas da área epidemiológica.

É mais provável que o *lobby* antivacinação alimente uma importante desconfiança ou falta de compreensão em relação a estatísticas ou fatos científicos. Por exemplo, se lhe dissessem que, entre os novos casos da doença A, metade foi vacinada, você poderia pensar que não vale muito a pena aplicar a vacina contra a doença em questão. Esse é um argumento frequentemente usado. Digamos que a vacinação para a doença A apresentou uma eficácia de 90% e a aceitação de 90% da comunidade. Pense nisso: os 10% da população infantil que não foram vacinados contraem a doença, e os outros 10% que a contraem foram imunizados, mas ainda são vulneráveis. Meio a meio: isso não significa que a vacinação não funciona.

Você deve analisar os índices de ataque. **Todas** as crianças vacinadas contraem a doença, mas ela se manifesta somente em uma de cada dez das que foram vacinadas; o resultado é meio a meio porque há mais pessoas que foram vacinadas, para começar. Existem ainda **muito menos** casos da doença do que existiria se não houvesse nenhuma vacinação.

Os defensores da não vacinação frequentemente confiam demais em histórias. Tome a ideia de que a incidência da SMSI (Síndrome de morte súbita na infância) aumentou após a vacinação, fato em que se acreditou amplamente por uns tempos. Estudos minuciosos mostraram que a incidência foi, na verdade, **menor,** mas o pico de incidência de morte no berço ocorreu na mesma época do início da vacinação; não é de surpreender que essas coincidências ocorram. O mesmo se aplica à vacina MMR (sarampo, caxumba e rubéola) e à incidência de autismo. Casos de autismo só são percebidos quando a criança atinge um ano de idade, de modo que é natural que haja crianças que irão apresentar sintomas de autismo após ter tomado a vacina. E quando isso ocorrer, para os pais é um alívio compreensível encontrar algo que possam culpar e não encarar o autismo somente como um terrível golpe de azar. Infelizmente, os dois fatos simplesmente não estão relacionados por causa e efeito.

Como funciona a vacinação?

O objetivo da vacinação é proteger o corpo de organismos virais e bacterianos (micróbios) e dos venenos (toxinas) que produzem quando entram no corpo; eles são atingidos ao se inocular uma minúscula dose do micróbio morto ou alterado, ou da toxina inativa (toxoide) no corpo. Essa minúscula dose do germe faz com que o organismo produza anticorpos, isto é, agentes neutralizantes que combatem a infecção provocada por aquele germe. Ao ensinar o organismo a produzir os anticorpos adequados antes da invasão dos germes, podemos fazer com que ele desenvolva uma sólida defesa contra a doença que eles produzem. Os germes nunca entram em atividade; quando eles entram no corpo, são atacados e eliminados por nossos mecanismos de defesa.

"Imunização passiva" a partir dos anticorpos maternos

Ao nascer, os bebês têm os mesmos anticorpos que a mãe – e que foram transportados até eles por meio da placenta. Se a mãe é imune à catapora, ao sarampo ou ao tétano, porque contraiu cada uma dessas doenças ou porque foi vacinada, o mesmo ocorre com seu bebê. Isso se chama imunização passiva e tem duração de três a seis meses para a maioria das doenças. Após esse período, o nível de anticorpos no bebê fica muito reduzido e ele perde a proteção. Nessa época, o bebê precisa da imunização ativa, que é aquela aplicada em todos os países e que é do conhecimento das mães. Portanto, vacine seu bebê e mantenha um registro da vacinação.

Capítulo 15

Os meses seguintes: como os bebês e as suas necessidades se desenvolvem

A ssistir ao desenrolar do desenvolvimento do bebê é um dos melhores aspectos de ser pai. O seu pequeno bebê muda dia a dia, é quase imperceptível. Filme o máximo que puder. Você sentirá falta do seu pequenino bebê, quando ele crescer...

Logo que nasce

Quando nasce, o seu bebê deita de barriga para baixo, com ambos os joelhos grudados no abdômen e a cabeça de lado. Ele tenta, mas não consegue levantar a cabeça do colchão. Se você o virar e puxá-lo pelas mãos (é seguro), a cabeça vai cair para trás.

Ele tem reflexos "primários" ativos:

- Se você fizer cosquinha na palma da mão dele, ele vai fechar a mão, por causa do reflexo de apreensão.
- Se deixar que a cabeça dele caia para trás, ele vai demonstrar um reflexo bem desenvolvido de sobressalto: ele joga os braços para a frente, arqueia as costas e junta as mãos.

- Se o segurar de pé, ele fará movimentos desengonçados com os pés, como se fosse andar.
- Ele ainda não consegue acompanhar os sons, mas olha fixamente para a luz.

Com quatro semanas

- Ele ainda está tentando levantar a cabeça do colchão e, quando é colocado sentado, tem um pequeno controle de sustentação da cabeça.
- O reflexo de apreensão ainda está presente, mas os outros reflexos primitivos estão começando a desaparecer.
- Ele segue o seu rosto por um campo de visão restrito e, aproximadamente na semana seguinte, vai começar a sorrir de volta, quando você sorrir para ele.

Com oito semanas

- Ele consegue levantar a cabeça do colchão quando está de barriga para baixo, e melhorou muito o controle da cabeça.
- Ele já perdeu o reflexo de agarrar e de andar, e somente parte do seu reflexo de sobressalto ainda está presente.
- Ele consegue levantar as mãos e colocá-las na boca.
- Os seus olhos fixam e focalizam as imagens, e ele pode seguir você com os olhos por um campo de visão maior.
- Ele está começando a dar risinhos e a murmurar.

Aos três meses

Nessa idade, o seu bebê já é, definitivamente, uma pessoa, e o seu relacionamento com ele é sólido. Ele conhece você e você o conhece. Ser mãe de um bebê recém-nascido dá muito trabalho, mas a partir desse momento, a carga de trabalho diminui e a diversão realmente começa.

A consciência, o entendimento e a habilidade de comunicação do seu bebê com as coisas a sua volta estão aumentando a cada dia. A alegria dele e o fato de aproveitar as coisas ao redor, especialmente a mãe, também estão aumentando. Há muitos anos já se sabe que as mães e os bebês desenvolvem um "sincronismo" crescente nos primeiros meses, ou seja, eles estão mais ligados um ao outro.

Observe uma cena típica em casa. O bebê está corretamente acomodado no sofá, amparado por almofadas, seguro e confortável. Ele levanta os olhos e encontra a mãe ocupada no cozinha, ou no seu computador. Ele olha fixamente para ela. Depois de alguns momentos, ele murmura um pouco e balança brevemente os braços. A mãe olha diretamente para ele. Ele levanta as sobrancelhas, aumenta a sua vocalização e balança os dois braços, de uma maneira circular. Ele atrai a mãe e ela se move para ele, falando em uma voz alta e convidativa. Um grande sorriso ilumina o rosto do bebê, os seus braços balançam ritmadamente, as suas pernas se esticam, e os dedinhos se contraem. A mãe se aproxima e as suas mãos seguram firmemente as coxas do bebê, enquanto olha fixamente dentro dos seus olhinhos, sorrindo para o seu sorriso, murmurando para os seus murmúrios. Ela conversa com ele, a sua voz fica mais alta, variando os tons e a entonação; a voz dele faz o mesmo, seguindo a dela. Os seus braços e pernas se acalmam, em uma posição relaxada, e os seus movimentos diminuem e param. Ele olha para o outro lado, brevemente, e brinca com as mãos, e então, olha rapidamente para ela e recomeça tudo de novo, sorrindo e falando. Ela responde. Isso continua por alguns momentos, então ele olha para o outro lado, olha para fora da janela e a ignora. Ela o beija rapidamente e volta a fazer o que estava fazendo antes.

Essa interação íntima entre mãe e bebê pode ser observada desde os primeiros meses, mas, a partir dos três ou quatro meses, é bastante desenvolvida.

Alguns minutos depois, ele olha para ela murmurando e começa a balançar os braços e a "dança" começa de novo. O bebê está praticando as suas habilidades sociais e aprendendo o máximo possível, com a voz e o rosto da mãe. Ele ainda não é muito bom em lidar com toda essa interação que está sendo oferecida a ele, portanto, ele regularmente se "desliga"; quase inconscientemente, as mães se adaptam ao padrão e se afastam. Estudos mostram que esse comportamento cíclico, a interação crescendo e diminuindo, ocorre regularmente e é relativamente previsível.

Os bebês se comportam de maneira completamente diferente com objetos inanimados: o ritmo suave de entrar e sair da interação não existe. Eles prestam muita atenção aos objetos novos e interessantes, entremeada com períodos abruptos e breves sem atenção, nos quais eles olham para o outro lado. E então, de repente, a sua atenção voltará e eles farão movimentos bruscos e darão um golpe violento no objeto. E depois, irão se distrair com outra coisa, novamente. Pelo fato de não terem nenhuma resposta do objeto, o seu relacionamento com ele é totalmente diferente do relacionamento com pessoas.

Esse é um bom momento para dar aos bebês móbiles para ficarem pendurados no berço ou no carrinho. Os movimentos dos seus braços são bastante imprecisos nessa idade, mas, com três ou quatro meses, eles vão começar a tentar agarrar os objetos que conseguem ver: quanto mais brilhantes, coloridos e interessantes, melhor. Nessa idade, o reflexo de agarrar já desapareceu; foi substituído por um movimento verdadeiro e voluntário de segurar. Se você colocar um chocalho na mão do bebê, ele permanecerá lá por um curto período, aos três meses, e um pouco mais, aos quatro.

Um dos objetos mais interessantes para os bebês nessa idade são as suas próprias mãos. "Olhar para as mãos", um marco no desenvolvimento, começa cedo, e está bem desenvolvido aos quatro meses. Isso é possível pelo aumento da força dos músculos do pescoço, que, nessa idade, conseguem sustentar a cabeça do bebê quando ele está deitado de barriga para cima, em vez de só deixá-la cair de um lado para o outro.

O seu controle da cabeça é melhor em todos os níveis. Se você levantá-lo pelas mãos, enquanto ele está deitado de barriga para cima, ele irá sustentar a cabeça completamente na linha do corpo, a partir dos três ou quatro meses, e quando ele estiver sentado, a cabeça estará reta e ele vai olhar em volta. As costas também estão começando a ficar retas; agora existe apenas uma pequena curvatura na região lombar inferior.

Se você colocar o seu bebê de barriga para baixo, ele vai levantar a cabeça e olhar diretamente para a frente. O peito ficará afastado da superfície, o peso estará concentrado nos antebraços e as pernas esticadas para trás. Com dezesseis semanas, ele começa a fazer o truque do "bebê voador": ele arqueia tanto as costas que tanto os braços quanto as pernas ficam longe do chão e ele fica totalmente apoiado no próprio abdômen.

O bebê é realmente esperto, mas pode ser um pouco esperto demais para o seu próprio bem. Nessa idade, muitos bebês tomam o seu primeiro tombo, pois aprendem a rolar de lado no trocador, precisamente no momento em que a mãe está do outro lado do quarto. Felizmente, a maioria dos bebês não se machuca. Mas é melhor nunca deixar o bebê sozinho em camas, trocadores ou na banheira. Nessa idade, os bebês aprendem habilidades motoras rapidamente, e nem você nem ele conhecem as suas capacidades a cada dia. Seja especialmente cuidadosa quando ele estiver na banheira: movimentos vigorosos das pernas podem afundá-lo rapidamente, se a posição for instável.

Com essa idade ele não perde nada: ele percebe as pessoas assim que entram no quarto e os seus olhos as seguem até que saiam de vista, esperando que elas voltem. Quando ele vê que a sua comida está sendo preparada ou que o seio está sendo descoberto, na hora de mamar, ele fica visivelmente excitado e na expectativa.

Na verdade, a sua compreensão é, então, suficiente para ele ter expectativas em relação às circunstâncias familiares, e ele se sentirá frustrado e aborrecido se elas não forem concretizadas. Se você levá-lo para um quarto desconhecido, ele vai olhar tudo com muito interesse e um pouco de timidez e insegurança. Mostrar a bebês, dessa idade, bolinhas de algodão que servem para limpar o nariz, era usado como parte de uma avaliação de desenvolvimento da fase: o bebê deveria se contorcer e virar a cabeça.

Os olhos do bebê seguem um objeto pendente por 180 graus completos, mas, até os quatro meses, eles não são muito bons em ver pequenos objetos.

Finalmente, os períodos noturnos de angústia e comportamento inquieto estão diminuindo ou, mesmo, desaparecendo. A noite agora é um momento para brincadeiras gostosas. O bebê aprendeu a lidar com mais estimulações e interações com as pessoas e coisas ao seu redor, e as pessoas estão mais sensíveis às suas habilidades de lidar com a situação, e controlam as suas interações, inconscientemente, para não superestimular o bebê.

> *"Olhar para as mãos", um marco no desenvolvimento começa cedo, e está bem estabelecido, aos quatro meses.*

Na verdade, ele está tão interessado nas coisas a sua volta que alimentá-lo pode se tornar difícil: ele se vira a cada barulho e pega e solta o peito ao menor sinal de provocação. É um período que requer paciência, e a consciência de que essa falta de atenção irá diminuir, nas próximas semanas, conforme ele vai ficando mais acostumado com o mundo a sua volta. A alimentação também pode se tornar menos "solicitada"; as mamadas podem ser delicadamente manipuladas para um horário mais razoável.

Muitos bebês estão, nessa fase, dormindo por longos períodos; muitos dormem oito horas por noite. Mas a grade do que é considerado normal continua sendo muito ampla e, se o seu bebê ainda acorda você duas vezes por noite, isso ainda é aceitável, por mais um tempo.

Muitos bebês aumentam o intervalo entre as alimentações e dormem direto e, então, têm um "ímpeto de crescimento", e voltam a querer se alimentar frequentemente. Ímpeto de crescimento é o nome errado: o mais provável é que o bebê, simplesmente, necessita de mais leite materno.

A maneira de aumentar a quantidade do leite materno é esvaziar completamente o peito e aumentar a estimulação do mamilo pela sucção. Se o peito estiver completamente vazio, vai produzir mais leite para a próxima vez; portanto, esses breves períodos de aumento de sucção elevam o nível do suprimento de leite, para atender às necessidades do bebê, nas primeiras semanas de vida. Então, o nível gradualmente vai subindo, conforme o peito e o bebê trabalham juntos, para alcançar uma velocidade de crescimento satisfatória.

Nessa idade, ainda não é necessário que o bebê coma sólidos; há mais crescimento com um estômago cheio de leite do que com um cheio de sólidos. No passado, algumas pessoas acreditavam que dar alimentos sólidos para o bebê, à noite, ajudaria a fazer com que ele dormisse durante a noite inteira. Estudos bem conduzidos mostraram que isso não faz a menor diferença.

É possível, nessa idade, começar a tentar fazer que o seu bebê durma por períodos mais longos. Não responda a todos os gemidos, arrotos e choramingos. É uma boa ideia fazer com que ele durma por mais tempo (se você conseguir!), antes dos cinco ou seis meses de idade, quando ele aprende comportamentos manipulativos e pode começar a fazer jogos noturnos com você. Porém, aos três meses, enquanto ele ainda é dirigido por instintos, isso é prematuro. Entretanto, com certeza, vale a pena tentar.

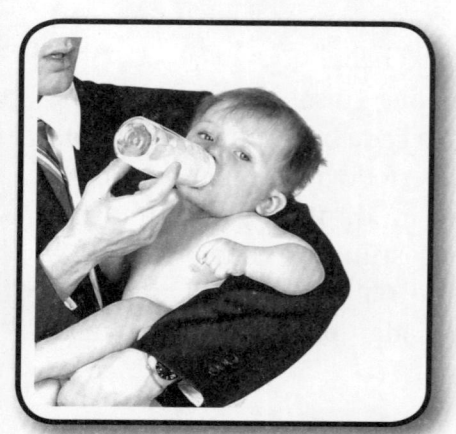

[186]

Aos seis meses

O bebê de seis meses de idade é um encanto absoluto. Nessa idade, as consultas de rotina no meu consultório são um verdadeiro prazer. Ele entra no consultório no colo da mãe, com um grande sorriso de gengivas, e se senta nos joelhos da mãe, na minha frente. Ele vê o médico com um olhar penetrante e divertido, e assiste atentamente, enquanto eu converso com a sua mãe. Depois de alguns momentos, ele murmura gentilmente e, então, se ninguém lhe dá atenção, ele começa a bater em cima da mesa com a mãozinha. Naturalmente, todos olham e o seu sorriso fica ainda maior, cheio de importância. Contanto que ele esteja no colo da mãe, ele é destemido e extrovertido, dominando o lugar com a sua presença.

Agarrar

As mãos estão se tornando mais úteis. A sua capacidade de agarrar é simples, aos seis meses; todos os seus dedos trabalham juntos, em um movimento de varredura para pegar um objeto. Em mais ou menos um mês, o indicador e o polegar começarão a ser usados separadamente e ele vai usá-los em forma de pinça, o que é muito útil. Nessa época, ele também começa a passar as coisas de uma mão para a outra. Entretanto, quando lhe oferecem um segundo objeto, ele derruba o que está segurando, para pegar o novo. Ele não vai usar a outra mão para ajudar a segurar as duas coisas de uma vez, pelo menos antes de um ou dois meses.

Segurança

Qualquer coisa que ele pegar, irá parar na boca, não necessariamente porque os dentes estão nascendo, mas porque a boca é um dos principais órgãos sensitivos que ele usa para explorar o mundo. Logo ele começará a explorar com os dedos também, e com esse comportamento surgem alguns perigos. Ele vai pegar e agarrar tudo o que estiver ao seu alcance; portanto, se você estiver sentada à mesa com ele, cuidado com a xícara de café quente! Coloque longe. Lembre-se, logo ele estará engatinhando ou rolando pelo chão, e tomadas ou toalhas de mesa poderão ser cutucadas ou puxadas. Essa é a hora de começar a pensar em segurança: um "chiqueirinho" pode ser útil.

Dormir

Conforme a sua compreensão aumenta, ele passa mais e mais tempo acordado, explorando o mundo. As suas sonecas durante o dia começam a diminuir e pode se tornar difícil colocá-lo para dormir à noite, quando ele descobrir que consegue ficar acordado por mais tempo, fazendo bagunça. Um ritual imutável que encurte esses joguinhos noturnos é uma boa ideia.

> A ansiedade da separação pode começar para alguns bebês nessa idade: um amigo, como um bichinho de pelúcia, na hora de dormir, pode ser a companhia de que ele precisa. E deixe a porta do quarto aberta, para que ele possa ouvir os barulhos da casa. Se ele tiver uma babá, eles devem se ver antes que ele vá para a cama, de modo que, se acordar no meio da noite, ele esteja acostumado com a pessoa que virá confortá-lo.

A maioria dos bebês dorme profundamente, nessa idade. Se ele ainda estiver acordando para mamadas noturnas, é provável que esteja fazendo isso mais pela companhia do que por fome. Se você estiver desesperadamente precisando dormir, você pode tentar mandar o pai no seu lugar. Se isso não funcionar, não force ainda. Entretanto, você vai precisar do descanso, porque, geralmente, as acordadas noturnas recomeçam aos nove meses!

Comida

Devido a sua nova e útil capacidade de agarrar, ele agora pode comer um biscoito, ou, até, segurar uma colher. Com a introdução de sólidos, ele vai começar a explorar não apenas os sabores e texturas, mas também maravilhosas experiências, como sentir a abóbora no cabelo, ou como o chão e você ficam, quando o resto é jogado fora. Se a performance for apreciada, ela será repetida até muito tempo depois de a plateia ter parado de apreciá-la.

Os sólidos são necessários para os bebês dessa idade. Depois dos cinco ou seis meses, o leite materno não possui ferro suficiente. Cereais que possuem ferro são, normalmente, os primeiros alimentos sólidos que ele vai receber, antes de experimentar diversos sabores. Ele será capaz de mastigar depois de cinco ou seis meses; portanto, ele pode tentar sólidos verdadeiros.

Os bebês logo se lembrarão de várias comidas e desenvolverão gostos e desgostos. Muitos bebês começam a beber do copo nessa idade, também.

Lembranças

A compreensão de um bebê de seis meses de idade está se desenvolvendo e se expandindo. Quando ele derruba alguma coisa no chão, ele observa aonde foi parar, e tentará fazer de novo. Mesmo que esteja fora do seu alcance de visão, ele se lembrará que está lá. O mesmo processo de memória permite que ele goste das brincadeiras de "esconde-esconde" com as mãos, e que dê risadas de antecipação quando houver a aproximação de dedinhos para fazer cócegas. Ele começa a sorrir para a sua própria imagem no espelho e, depois de algumas semanas, começa a dar tapinhas no espelho. A sua fala se tornará mais distinta e o papai ficará convencido de que "pa" é dirigido a ele. Mas ele está enganado – pelo menos por enquanto.

Força

As suas costas estão agora fortes o suficiente para sustentá-lo, quando ele está sentado; mas é uma etapa complexa e importante, e se desenvolve gradualmente: primeiro chega a habilidade de endireitar as costas e, então, depois de alguns meses, chega a estabilidade crescente.

Logo o bebê poderá usar as mãos, enquanto está sentado, e poderá se virar, sem perder o equilíbrio. A vida é muito mais interessante agora que ele consegue sustentar o próprio corpo ereto. Ele pode olhar em volta do quarto e brincar com os seus brinquedos, de forma mais eficiente.

Primeiro, ele tenta se inclinar para a frente, apoiando-se nas mãos, e se ele tentar usá-las, é provável que caia e não seja capaz de se levantar. Quando deitado de barriga para baixo, ele se apoia nas mãos; o peito e o abdômen não estão apoiados no chão.

Aos sete meses, ele pode sustentar o próprio peso em uma mão, enquanto usa a outra para alcançar um brinquedo. Ele, agora, pode normalmente rolar quando está de barriga para baixo e ficar de barriga para cima, mas ainda vai demorar cerca de um mês para que consiga fazer o inverso.

Quando segurado de pé, ele sustentará o seu peso nos pés e começará a pular.

Em pouco tempo, aprenderá a engatinhar.

Aos nove meses

Aos nove meses, o seu bebê está quase entrando na primeira infância. Finalmente, ele descobriu para que servem as pernas, e o dia não é grande o suficiente para todo o exercício necessário.

No começo, aos oito ou nove meses, levantar-se é algo que exige muito esforço, mas uma vez que ele possa apoiar as mãos em algum móvel, ele vai se levantar radiante e rindo, conforme vê que o seu mundo bidimensional passa a ser tridimensional. Infelizmente, ele também precisa de ajuda para descer, mas depois de alguns galos e roladas ele vai aprender a se dobrar e cair de bumbum.

Algumas semanas mais tarde, o bebê vai se levantar sozinho e, um pouco depois disso, dará passos de lado e começará a fazer excursões em volta dos móveis. Se você ainda não fez da sua casa um ambiente seguro, faça agora. Compre grades para as escadas, antes que você venha da cozinha e encontre o seu alpinista no meio da escada, subindo obstinadamente. Qualquer coisa que esteja no alto deve ser colocada fora do alcance das pequenas mãos: cabos de panelas, chaleiras, aparadores de mesa quentes, ferros de passar roupa (cuidado com o fio), lata de lixo, cortinas e toalhas de mesa; todas são coisas para se segurar, quando você ainda não tem controle sobre a estabilidade. Também tenha cuidado com as plantas da casa: certifique-se de que as que estão ao alcance podem ser comidas com segurança, folhas e tudo.

Muitos bebês dessa idade conseguem se sentar estavelmente e voltar à posição normal, se acabarem se inclinando para a frente ou para o lado. Mesmo assim, **nunca** confie nessa habilidade na banheira; basta um segundo para cair, portanto, sempre supervisione. Conforme o tempo passa, eles se sentam e levantam com mais facilidade, inclinando-se, ficando de pé e sentando de novo. Muitos bebês também aprendem a "engatinhar como um soldado", nessa idade, arrastando-se para a frente apoiados na barriga.

As mãos passam a ser muito mais usadas e, conforme as habilidades de manipulação aumentam, a quantidade de objetos levados à boca tende a diminuir. Ele desenvolve um bom controle motor fino com o indicador e o dedão e consegue pegar pequenas bolinhas e, até mesmo, pedaços de linha. E não é só isso: finalmente ele aprende a soltar as coisas, também. Logo a brincadeira favorita, de jogar as coisas para fora do berço e ficar esperando esperançoso que elas sejam colocadas de volta, será feita com consciência. Dê a ele dois cubos, um de cada vez; em vez de jogar fora o primeiro cubo para pegar o segundo, ele vai pegar os dois, olhá-los e compará-los e, então, jogá-los juntos.

Apesar de continuar sendo bem alimentado com o leite materno, ele adora comer alimentos sólidos, especialmente se deixarem que ele coma sozinho. Portanto, ofereça a ele o prato de comida com a sua própria colher. É verdade que o prato se torna um tambor e muito da comida acaba no chão ou no cabelo dele, especialmente se esse não for o seu prato favorito, mas, nessa idade, ele é capaz de satisfazer o seu apetite tanto por comida quanto por experiências, ao mesmo tempo. Também é época de aprender a beber com o copo; quanto mais prática ele tem, mais habilidoso fica. Como meio termo, um copo grande com canudinho, certamente, vai manter o babador e o chão secos.

Muitos bebês dessa idade só precisam de quatro refeições por dia. É um bom momento para iniciar o desmame, mas muitos ainda mamam, pelo menos na primeira e na última refeição do dia, o que é uma boa técnica para acalmar o bebê à noite.

O padrão de sono, que para muitas famílias já estava tranquilo nos últimos meses, pode, algumas vezes, se tornar um problema de novo, nessa idade. O bebê pode voltar a acordar de noite, pois aprende que isso proporciona um momento para brincar com a mãe, sozinho. Normalmente, os pais culpam a "dentição" no começo, e logo o hábito está estabelecido. Não se deixe enganar pela dentição. É sensato aceitar um pequeno desconforto nas gengivas, por algumas horas depois que o novo dente emerge, mas, noite após noite de choro e agitação, é bem mais provável que seja mesmo comportamental. Uma boa abordagem de atenção carinhosa, mas superficial, deve logo ajudar o pequeno barulhento a entender que esse trabalho todo não vale a pena. Mas, definitivamente, não dê mamadeiras ou o peito, no berço, como recompensa nessa idade.

A compreensão do bebê sobre o mundo continua a se expandir e vai se estender às tarefas diárias, como se vestir, e ele pode colocar o braço para fora da manga ou o pé dentro da meia. A memória está melhorando e ele entende o significado dos números e das palavras. Ele sabe os nomes dos membros da família e entende ordens simples, como "senta", e perguntas, como "cadê o papai?". Ele pode reclamar se você falar errado as palavras de uma cantiga de ninar. Ele agora fala palavras de duas sílabas, como "mamã" e "papá", e usa-as corretamente, com mais frequência. Ele também pode tentar imitar os sons feitos pela mãe. Ele pode dar tchauzinho, com um sorriso; e brincadeiras simples, como "esconde-esconde", são as favoritas.

> *Qualquer coisa que esteja no alto deve ser colocada fora do alcance do bebê.*

O tempo gasto lendo livros com figuras para ele é importante nessa idade. Algumas evidências sugerem que privar um bebê de livros e figuras nessa idade pode ter um impacto permanente na sua habilidade de aprender. Portanto, o ritual de ler historinhas na hora de dormir não é apenas um momento de abraços e conversas: também é a base para uma vida inteira de aprendizado e amor pelo conhecimento.

COM UM ANO

Quando o seu bebê fizer um ano, é motivo para celebrar! Ele já trabalhou muito sendo bebê e, para você, parece que o ano passou correndo, em um piscar de olhos. Todos lembram do primeiro aniversário do seu bebê: a única velinha (e, um pouco depois, os dedinhos dos pés) enfiada no bolo azul, ou rosa. As portas da primeira infância estão agora abertas, e o seu bebê está se esforçando para passar por elas.

Andar

Andar é algo muito importante e, com um ano, muitos bebês estarão sobre os próprios pés, sempre que possível. Normalmente, eles ainda precisarão da ajuda de uma mão amiga ou de algum móvel, se quiserem ir para longe. Entretanto, alguns bebês aprendem que progressos rápidos podem ser alcançados usando o bumbum e um braço, ou mãos e pés, como um urso, e têm um pouco de medo de ficar de pé. Isso é muito sensato, também, considerando os galos e machucados no corpo dos andadores aprendizes.

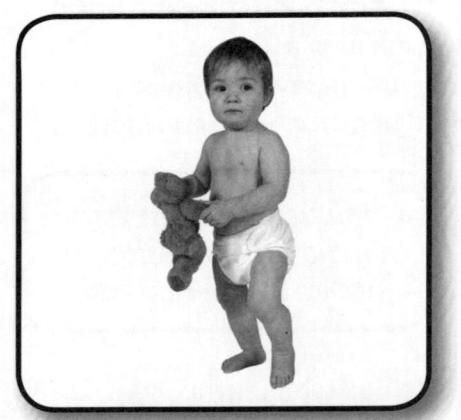

Apesar de muitos bebês estarem andando em torno dos treze meses, não é preciso ficar preocupada se não for o caso do seu bebê. Da mesma forma que aprender a usar o vaso sanitário, se você esperar, isso também acontecerá. Depende muito da confiança do bebê: ele pode ser tímido ou ter a lembrança de ter sido derrubado pelo irmão, que estava correndo, ou os seus músculos podem não estar prontos. Os primeiros passos serão desajeitados, hesitantes e cambaleantes, quase sem equilíbrio, e ele sempre acaba caindo de bumbum. Por enquanto, ele se senta firme como uma rocha. Ele pode virar para os lados, inclinar-se para a esquerda ou para a direita, e é raro que ele caia.

Um aviso: não fique muito ansiosa em relação ao que os bebês "devem" estar fazendo em determinada idade. A média não é necessariamente apropriada para o seu bebê. Procure ajuda apenas se o seu filho parecer ser lento em muitas áreas de desenvolvimento, e não apenas em uma ou duas.

Mais hábil

As habilidades motoras finas do seu filho de um ano estão melhorando a cada dia. Ele já aprendeu a segurar dois ou três cubos com a mão e, se lhe derem outro, vai querer segurar todos. Ele tentará construir uma torre de dois blocos e, algumas vezes, vai conseguir. Ele adora pegar os blocos e colocar e tirar de dentro do recipiente, hora após hora. Ele também gosta de dar objetos para a mãe, só para que ela os devolva. Ele gosta de fazer rabiscos no papel com giz de cera, mas ainda não está pronto para escrever.

Fala

Muitos bebês dessa idade entendem muitas palavras, mas só falam duas ou três compreensíveis. Eles possuem várias palavras que não são compreensíveis para os outros, e começarão a fazer longos e incoerentes discursos, cheios de gestos significativos, curvaturas apropriadas e movimentos faciais relevantes. É uma pena que só eles saibam do que estão falando!

> *Não fique muito ansiosa em relação ao que os bebês "devem" estar fazendo em determinada idade. A média não é necessariamente apropriada para o seu bebê. Procure ajuda apenas se o seu filho parecer ser lento em muitas áreas de desenvolvimento, e não apenas em uma ou duas.*

Inteligência

É nessa idade que surgem algumas pistas sobre a inteligência do bebê. Entretanto, essas pistas não estão relacionadas a habilidades motoras, ou seja, o momento em que coisas importantes acontecem, como sentar ou andar. Muitas crianças com habilidades motoras avançadas não possuem nenhuma capacidade mental especial, e muitos dos que demoram alguns meses possuem uma inteligência bem normal.

A pista para a inteligência está na qualidade de interação da criança com o mundo a sua volta. A criança inteligente se concentra bem em uma tarefa e possui determinação para conseguir realizá-la. Ela olha para o mundo com entusiasmo e intensidade. É confiante e equilibrada, é pensativa e inventiva, e procura soluções para os problemas do dia a dia.

Compreensão

Muitos bebês realmente gostam de gestos que apontam, nessa idade, porque, geralmente, rendem uma boa reação da plateia. Nessa idade, a sua compreensão também permite que eles consigam executar tarefas simples, "Pegue o seu ursinho"; responder a perguntas, "Cadê o papai?"; e obedecer a pequenas ordens, "Me dê um beijo!".

As crianças de um ano de idade também sabem como chamar a sua atenção, e a vida delas começa a girar em torno dessa atividade. Elas aprendem a ligar a televisão quando você está no outro quarto, derrubam a comida no chão se você estiver muito interessada em fazê-la comer, e são geralmente muito sensíveis a pressões e expectativas sutis.

"Não!"

Este é o momento de disciplina rígida para você mesma. O seu filhinho está lutando para entrar em uma nova fase de independência. Ele já aprendeu o poder do "Não!", e essa pode se tornar uma das suas palavras preferidas. A sua tarefa é aceitar e apoiar o fato de que o seu bebê deseja se tornar um indivíduo que pode tomar as próprias decisões e controlar o seu ambiente. Porém, ao mesmo tempo, você não pode deixar que a atração pelo "não" se torne um fim em si mesma.

Imagine o poder que você sente quando aprende que realmente pode manipular o comportamento da sua mãe! Mas imagine, também, o medo que você sente quando percebe que é independente. Enquanto o bebê oscila entre essas duas emoções, os pobres pais estão confusos, no meio.

Esse negativismo fica muito óbvio no meu consultório. Aos nove meses você pode examinar facilmente o bebê, e ele sorri para você, de uma maneira aberta e convidativa. Com um ano, ele se torna tímido e preocupado. Se você olhar para ele, diretamente, ele se encolhe. Se você tentar examiná-lo, ele geme e se debate. Ele precisa ser abordado gentil e indiretamente, e precisa de tempo para aceitar que você não irá machucá-lo.

Trocas

Você também pode perceber um novo negativismo dele na hora de trocar a fralda. Não é que ele não queira que a fralda seja trocada, é que evitar isso simplesmente parece uma boa ideia, no momento.

É como na hora de comer: logo que o seu filho de um ano de idade percebe que é muito importante para você que ele coma bem, ele não vai comer quase nada. Ele fará qualquer coisa por uma boa reação dos pais. Apesar disso, é preciso dizer que as crianças pequenas têm menos apetite, de qualquer jeito. O meu conselho é oferecer comida em intervalos regulares; se ele não quiser comer, dê a comida ao gato. Se você fizer um estardalhaço ou usar jogos ou recompensas para fazer com que a boca dele abra, você estará se precipitando na pior das situações, e é inevitável que acabe no fundo do poço. Somente ignorando o problema é que ele desaparecerá. Não se preocupe com conselhos de pessoas que falam de quanto uma criança deve comer. Crianças ativas e saudáveis comem o necessário se lhe oferecerem; elas não morrem de fome, nem ficam subnutridas. Se você não consegue lidar com o fato de que seu filhinho recusa comida de vez em quando, o problema deve ser seu, e não dele!

Epílogo: zen e a arte de ser pai

Com as crianças, assim como com a nossa própria vida, cada idade tem alegrias especiais e aspectos que preferíamos esquecer. É tentador considerar cada estágio pelo qual o nosso bebê passa como uma mera preparação para a próxima fase de desenvolvimento.

De repente, eles nos olham nos olhos e dizem adeus; e nós nos perguntamos onde foi parar a infância deles. A infância deles passa, enquanto nós estamos esperando que eles não façam isso ou aquilo, que sejam um pouco mais maduros, e que não nos atrapalhem tanto. Ela passa enquanto eles choram a noite inteira com dor de ouvido, quando eles batem o triciclo na mobília e quando se recusam a ir para a cama.

Os nossos bebês são nossa imortalidade, aqui e agora. Eles também são a melhor experiência disponível de crescimento pessoal. Qualquer um que queira trilhar um caminho espiritual que lhe mostre a pessoa que realmente é, não precisa procurar mais, depois de ter um bebê. Não existe melhor professor em lugar nenhum. Nós podemos ser quem quisermos para os nossos amigos – compassivos, pacientes, sensíveis –, mas os nossos pequenos irão ver além dessa fachada, e nos mostrarão quem nós realmente somos. Como mais ninguém, os nossos bebês podem apertar nossos secretos botões psíquicos.

A paternidade é uma parte essencial da existência, para aqueles que desejam crescer e para aqueles que prefeririam evitar isso.

Não perca a oportunidade ou a experiência.

Desejo a você alegria e sono suficiente.

Conheça também outros livros da FUNDAMENTO

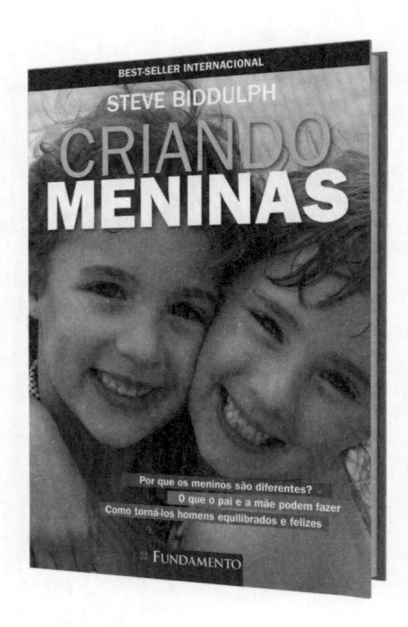

CRIANDO MENINAS
Dr. Steve Biddulph

Vivemos e criamos nossas filhas em uma sociedade onde o culto pelo corpo e pela beleza está fortemente presente. Evitar comparações é impossível e a angústia de não se sentir "boa o suficiente" aflige meninas de todas as idades. A partir daí surgem problemas emocionais e físicos, como a depressão e os distúrbios alimentares. Para agravar, existem outras áreas de risco como o *bullying*, a mudança hormonal, a pressão para o sexo, o consumo de álcool e o uso de drogas. Para os pais, lidar com essas questões é desgastante, confuso e complicado.

EDITORA FUNDAMENTO
www.editorafundamento.com.br

Conheça também outros livros da FUNDAMENTO

CRIANDO MENINOS
Dr. Steve Biddulph

Quem tem meninos hoje está preocupado. Toda hora eles enfrentam problemas. Os pais gostariam muito de entendê-los e de ajudá-los a serem amáveis, competentes e felizes. O livro discute de forma clara, leve e emocionante as questões mais importantes sobre o desenvolvimento de um homem, do nascimento à fase adulta. Para mãe e pais de verdade.

EDITORA FUNDAMENTO

www.editorafundamento.com.br